Czekam na Ciebie

Véronique Olmi

Czekam na Ciebie

tłumaczenie Agata Sylwestrzak-Wszelaki

WYDAWNICTWO
otwarte

Kraków 2011

Tytuł oryginału: *Le Premier amour*

Copyright © Éditions Grasset & Fasquelle, 2009

Copyright © for the translation by Agata Sylwestrzak-Wszelaki

Projekt okładki: Katarzyna Bućko

Fotografie na okładce: kobieta w aucie – © Julian Hibbard / Photonica /
Getty Images / Flash Press Media; widok Paryża – © David Hanover /
Stone / Getty Images / Flash Press Media

Opieka redakcyjna: Eliza Kasprzak-Kozikowska

Opracowanie typograficzne książki: Daniel Malak

Adiustacja: Janusz Krasoń / Studio NOTA BENE

Korekta: Anna Szczepańska / Studio NOTA BENE,
Maria Armata / Studio NOTA BENE

Łamanie: Agnieszka Szatkowska / Studio NOTA BENE

ISBN 978-83-7515-169-5

WYDAWNICTWO

otwarte
www.otwarte.eu

Zamówienia: Dział Handlowy, ul. Kościuszki 37, 30-105 Kraków,
tel. (12) 61 99 569
Zapraszamy do księgarni internetowej Wydawnictwa Znak,
w której można kupić książki Wydawnictwa Otwartego: www.znak.com.pl

Wydawnictwo Otwarte sp. z o.o.,
ul. Kościuszki 37, 30-105 Kraków. Wydanie I, 2011.
Druk: Zakład Poligraficzno-Wydawniczy POZKAL, ul. Cegielna 10–12, Inowrocław

Dla Pascala Elso,
dla Luca Dodemanta

„Byłeś najpiękniejszą epoką mojego życia.
I właśnie dlatego nie tylko nigdy
nie będę mogła o tobie zapomnieć,
ale będziesz stale obecny w mojej najgłębszej pamięci
jak powód, dla którego się żyje".

Pier Paolo Pasolini

Czasem wystarczy zupełne głupstwo, aby całe życie wywróciło się do góry nogami. Chwila nieuwagi na przejściu dla pieszych. Strajk kolei. Nowy sąsiad. Zepsuta winda. List. Telefon w środku nocy.

Moje życie wywróciło się do góry nogami dwudziestego trzeciego czerwca 2008 roku o dwudziestej trzydzieści cztery, dokładnie wtedy, gdy odwijałam z gazety butelkę pommarda. Mieliśmy go wypić do jagnięciny włożonej do piekarnika dwadzieścia sześć minut wcześniej.

Nikt nigdy nie otworzył odwiniętego z gazety pommarda. Jagnięcina nigdy się nie upiekła. Byłam na tyle przytomna, aby – zanim ruszyłam do Włoch – wyłączyć piekarnik. I zgasić świece rozstawione w całym salonie.

Gdy obudziłam się tego dnia, dwudziestego trzeciego czerwca 2008 roku, wiedziałam, co mnie czeka. To była dwudziesta piąta rocznica naszego ślubu z Markiem, a ja postanowiłam, że wezmę wszystko w swoje ręce i wieczór będzie doskonały. Oczywiście, gdybym posłuchała Marca i zgodziła się pójść na kolację do Grand Colbert, nic by się nie wydarzyło. Ale kolacja w restauracji wydawała mi się tak banalna, pomysł był tak kiepski, że wolałam sama przygotować romantyczny wieczór, który bardziej by odpowiadał naszym upodobaniom i oczekiwaniom. Miałam trochę za złe Marcowi, że nie odważył się zabrać mnie z okazji rocznicy do jakiejś europejskiej stolicy, a najlepiej do Nowego Jorku, o którym marzyłam od zawsze. Szczerze mówiąc, mieliśmy tam spędzić nasz miodowy miesiąc, ale zamiast tego wylądowaliśmy w obskurnym hoteliku w Wenecji, który zresztą był dla nas wtedy za drogi.

*

Tego dnia, w środę, miałam na szczęście wolne, bo przygotowanie rocznicy zajęło mi właściwie cały dzień. Marc dzwonił do mnie po południu dwa razy. Miałam wrażenie, że uważa, iż kompletnie sobie nie radzę. Oczywiście nie śmiał mi tego powiedzieć, ale ze sposobu, w jaki do mnie mówił, jak do niepoprawnego i rozczulającego dziecka, dobrze wiedziałam, co o mnie myśli. Rozzłościło mnie to, ale natychmiast odegnałam od siebie irytację z obawy, że wieczorem będę miała do niego pretensje i będę spięta. W ciągu tego dnia kilka razy – gdy po raz trzeci stałam w kolejce do kasy w Monoprix, bo po raz trzeci zapomniałam kupić jakąś przyprawę albo niezbędny produkt, gdy zastanawiałam się nad winem i sprawdzałam w internecie, jakie najlepiej pasuje do określonych potraw, a sprzedawca win i tak załamał ręce nad moją niekompetencją – pomyślałam, że wolałabym być na miejscu Marca, faceta, który tego dnia pracuje, robi ci przyjemność tym, że się za bardzo nie spóźnia, po czym siada do gotowej kolacji, przysłaniając zmęczenie ojcowskim uśmiechem. Wiem, że są kobiety, które z czymś takim radzą sobie lepiej. Potrafią na przykład w kilka minut zaimprowizować kolację na piętnaście osób, wszystko świetnie działa, a one nie są ani zirytowane, ani spięte, tylko zachwycone i odprężone. Albo wracają z pracy o dziewiętnastej i po godzinie serwują swoje cudowne dania, które zawsze im wychodzą i których zazdroszczą im wszystkie przyjaciółki, otwierają ci drzwi z jeszcze mokrymi włosami, bez makijażu, a ich skóra jest gładka, jak gdyby przespały dwanaście godzin. I tak dalej, i tak dalej.

Przez cały dzień miotałam się więc między radością z przygotowań do rocznicy a obawą, że nic mi z tego nie wyjdzie.

Myliłam się jednak. Mogło być doskonale. Dużo lepiej niż w Grand Colbert. Wybrałam ulubione utwory Marca i kolejność, w jakiej je puszczę. Oczywiście najpierw jazz, potem przy aperitifie i prezentach Duke Ellington i Chet Baker, do przystawek arie Schuberta, do jagnięciny – sonaty Chopina i kantaty Bacha, następnie, przy serach, Gipsy Kings, przy deserze płynne przejście do Janis Joplin, która nas rozbudzi i przeniesie do sypialni, gdzie Maria Callas będzie po cichutku towarzyszyć naszej miłości. Kupiłam na tę okazję jedwabną pościel, która w centrum Paryża kosztowałaby fortunę, ale gdzieś w głębi XII dzielnicy odkryłam mały chiński sklepik uginający się pod tonami kurzu i wyblakłych, odbarwionych od leżenia na słońcu ubrań *made in China* w smutnych kolorach. Przez trzy kwadranse otwierałam i oglądałam kolejne komplety, aż w końcu znalazłam pościel w kolorze perłowym, zupełnie przyzwoitą, przynajmniej na jedną noc, bo potem oczywiście się zaciągnie, gdy któreś z nas przez dwa dni z rzędu zapomni obciąć sobie paznokcie u nóg.

Dużo bardziej skomplikowany był wybór tego, w co się ubrać, aby potem móc się rozebrać. Oczywiście nie dało się pominąć seksownej bielizny, tak jak nieco gorzkiej myśli, że to takie banalne. Już od dawna nie pokazywałam się Marcowi nago, miałam czterdzieści osiem lat, więc zamierzałam włączyć przyćmione światło, wślizgnąć się pod kołdrę *made in China* w pasie wyszczuplającym, nie zdejmować go w trakcie seksu, rzecz jasna tak samo jak i pończoch. Właściwy kompromis. Seksowna, ale niewidoczna. Niewyeksponowana. Nie za bardzo skrępowana.

Nie dało się wymyślić nic łatwiejszego do zdjęcia niż moja sukienka z niebieskiego muślinu: wystarczyło odpiąć zamek błyskawiczny z boku, a ona natychmiast spadała na ziemię jak słodka oczywistość. Co do szarych butów na szpilkach zastanawiałam się, czy nie iść w nich do łóżka – rozedrzeć obcasami jedwabną pościel, która posłuży nam tylko raz. To mogła być wspaniała erotyczna ekstrawagancja, miła perwersja.

*

Naprawdę mogło być cudownie. Mogło. Gdybym tylko nie pokłóciła się ze sprzedawcą win, nie wyszła z jego sklepu z pustymi rękami i ostatecznie nie sięgnęła po butelkę pommarda przywiezioną przez Marca z Burgundii w poprzedni weekend, owiniętą w stronę z ogłoszeniami z „Libération".

„Emilie, Aix 1976. Przyjedź do mnie jak najszybciej do Genui. Czekam na Ciebie. Dario".

*

Nie myślałam o niczym. Nie zadałam sobie żadnego pytania. Wszystko robiłam bezwiednie.

Wyłączyłam piekarnik. Zdmuchnęłam świece.

Na stole w kuchni zostawiłam wiadomość dla Marca: „PRZEDE WSZYSTKIM się nie martw".

Na zwiewną sukienkę włożyłam lekki żakiet.

Wzięłam kluczyki od samochodu. Torbę. Zapomniałam telefonu. I wyszłam.

*

Mam na imię Emilie. Mieszkałam w Aix-en-Provence w 1976 roku. Wtedy spotkałam Dario. Pochodził z Genui.

Był moją pierwszą miłością.

To było w czasach, gdy moja siostra Christine całymi godzinami śpiewała *C'est ma prière* i *Le lundi au soleil*, patrząc w lustro. W ręku ściskała mocno rączkę od skakanki jako mikrofon. Myślała, że śpiewa z playbacku, ale nie mogła zapanować nad wydobywającym się z jej gardła głosem, który nakładał się na piosenki Mike'a Branta i Claude'a François niczym nieco ochrypła skarga, ostatnie tchnienie. Powoli poruszała biodrami z prawa na lewo, a jej usta były lekko zaślinione.

„To moja modliiiiiitwa, wracam do ciebie, aaaach! To moja modliiiiiiitwa!" I tak w kółko, cały dzień. A potem mówiła:

– To smutne, nie, Mimile, umarł, to smutne, nie?

– Tak, ale widzisz, mamy ciągle jego piosenki.

– Uważasz, że dobrze śpiewam?

– Śpiewasz bardzo dobrze.

– Będę kiedyś piosenkarką, co, Mimile?

– A ty jak myślisz, będziesz piosenkarką?

– Jestem ładna. Jestem ładna? Bez okularów jestem ładna? Mogę być piosenkarką, jestem ładna!

Zawsze kończyło się na kłamstwie, żeby jej nie zdenerwować: „jesteś ładna, będziesz piosenkarką, wyjdziesz za Ringo", miała bzika na punkcie Ringo, męża Sheili, był w jej typie. Tak mówiła.

*

Często gdy jest mi smutno, myślę o Christine trzymającej skakankę w ręku. O powadze, z jaką poruszała ciężkimi biodrami. O zdziwieniu w jej oczach, gdy śpiewała: „W poniedziałek moglibyśmy się kochać w słońcu cały dzień!".

Często gdy tracę nadzieję, myślę o Christine, która wpadała w złość, gdy inni nie mówili jej, że wszystko jest możliwe.

Często myślę o mojej starszej siostrze, która miała coś, czego nie miałam ja – taki nieprzyjemny chromosom 21.

Jej śpiew był ze mną przez całą młodość.

Gdy spotkałam Dario, miałam szesnaście lat, a byłam niewinna jak trzynastolatka. Więc to, co mi się przydarzało, zawsze było niespodzianką. Wszystko wydawało mi się nowe i ważne. Z radosnym zdziwieniem przeczuwałam, że rzeczy znaczą więcej niż to, czym są. Niektóre mało ważne emocje – wiedziałam o tym – kryły w sobie zapowiedź głębokich wstrząsów. Nic nie było proste. Odgadywałam, że na życie w jego złożoności składają się radości podszyte lękiem, trema przed tym, co wspaniałe, i podobało mi się oczekiwanie na nie. Snułam marzenia o wszystkim, miałam pewność, że jestem zdolna do uczuć głębokich jak morze, bo jestem olbrzymką zamkniętą w ograniczającej rodzinie, starodawnym liceum, małej prowincjonalnej mieścinie, która co prawda była ładna, ale cierpiała, że nie jest Paryżem.

Przez wszystkie szkolne lata miałam wrażenie, że próbuję przejść przez jakieś drzwi. A one nigdy nie otwierały się na oścież. Musiałam więc przemykać przez nie bokiem, wciągając brzuch, wstrzymując oddech, na czubkach palców, ostrożnie jak kolos, który stąpa po papierowej ziemi.

Ale tego wieczoru, w moją dwudziestą piątą rocznicę ślubu, gdy z obwodnicy zjechałam na autostradę A6, wiedziałam, że w 1976 roku wydarzyło się wiele pięknych rzeczy.

I że często do nich tęskniłam.

Suzanne, siostra mamy, pachniała swoim mieszkaniem. Mieszanką wilgotnego papieru, dezodorantu i lakieru do paznokci. Tata mawiał: „twoja siostra Suzanne, nie miej mi za złe, że to powiem, jest nie tylko brudna, ale też ordynarna".

– Bertrandzie, możesz powiedzieć dużo różnych rzeczy o Suzanne, ale nie to, że jest ordynarna. Ona ma łeb na karku! Jest biegłą księgową!

– Być może, ale paznokcie ma jak aptekarka!

– No wiesz!

Nie mówił prawdy, mogę to potwierdzić. Często przyglądałam się pomalowanym paznokciom aptekarek, starannie układających małe pudełeczka w małych torebeczkach, do których dorzucały czasami kilka próbek („Tak, proszę pani, suchy szampon, tak, tak! Suchy!"). Mój ojciec się mylił. W dziewięciu przypadkach na dziesięć paznokcie aptekarek są bez zarzutu. Ale paznokcie cioci Suzanne nigdy takie nie były. Zawsze z któregoś schodził lakier, któryś był złamany. W ogóle się tym nie przejmowała. Ani paznokciami, ani resztą. Lubiła mężczyzn i nie kryła się z tym, co u nas uważało się nie tyle za przekroczenie norm, ile za groźną chorobę. To dzięki niej bardzo wcześnie zrozumiałam, że miłość to wielkie dobrodziejstwo. Często zabierała mnie z sobą w podróże. W 1975, na Wielkanoc, pojechałyśmy do Maroka.

– Emilie – powiedziała mi mama przed wyjazdem. – Suzanne jest trochę nieobliczalna, wiesz o tym. Jej życie nie zawsze było proste, no i... Krótko mówiąc, proszę cię o jedno: gdy tylko dojedziecie do Marrakeszu, kupisz kartkę pocztową, może być byle jaka, z hotelem, brzydka, wszystko jedno. Napiszesz na niej, co będziesz chciała: „jest ładnie, podróż minęła dobrze, nie wymiotowałam w samolocie". I dodasz: „u cioci Suzanne wszystko w porządku". Zgoda?

– Zgoda...

– Ona to przeczyta, znam ją, jest ciekawska jak stara zdzi.., no po prostu jest ciekawska. Więc narysujesz jeden krzyżyk, jeśli wszystko będzie naprawdę dobrze, dwa krzyżyki, jeżeli bardzo dobrze, no i oczywiście... jeżeli nie będzie krzyżyków... zrozumiem, mam numer do hotelu i natychmiast zadzwonię, zaufaj mi.

Moja matka uwielbiała krzyże, mogę to potwierdzić, moja matka krzyże widziała wszędzie. Na szyi nosiła dwa krzyżyki i trzy medaliki z Matką Boską. Jeden z Lourdes, drugi z ulicy Bac, nie licząc tego od chrztu, całkiem powyginanego, bo była nerwową dziewczynką i przez całe dzieciństwo go gryzła.

*

W Marrakeszu polubiłam siebie. Spojrzałam na swoje odbicie w lustrze i uznałam, że jestem ładna. To był pierwszy raz. Zyskałam w ten sposób potwierdzenie tego, co niejasno przeczuwałam, to znaczy, że pewnego dnia zacznę naprawdę żyć. Rzucę się przed siebie, na główkę, z całą energią zablokowaną dotąd przez ledwo znośną codzienność i ciągłe gadanie o moralności. To dlatego moi znerwicowani rodzice byli mistrzami dobrych obyczajów i życia po chrześcijańsku. Handlarze na suku pytali o mój wiek, mówili o mnie „piękna gazela", a ciocia Suzanne odpowiadała: „jest młoda, ale zamężna, a jutro przyjeżdża jej mąż". A potem dłońmi z niestarannie pomalowanymi paznokciami wybierała razem ze mną tkaniny i wielkie jak pięść pierścienie. Wokół unosił się zapach skóry i wolności. Mięty i eukaliptusa. Chodziłam po suku jak królowa, czułam to, miałam pośladki, miałam piersi, tandetne bransoletki na opalonych nadgarstkach, mój śmiech był jasny i długo dźwięczał, podobałam się sobie, i to mnie zaskakiwało.

Pianino w hotelowym barze było rozstrojone, a pianista co wieczór, na okrągło grał *My Way* i *Que sera*, zapominając o połowie krzyżyków. Zmuszałam się, żeby nie myśleć o Christine, i zastanawiałam się, czy kiedyś moje życie będzie wyglądało tak jak w Marrakeszu. Czy często będę miała prawo przechadzać się wśród woni jaśminu i egzotycznych przypraw, martwych zwierząt i suchych kwiatów? I czy na całym świecie są podobne tanie hotele ze starymi pianinami, gdzie ludzie są tak beztroscy, że zapominają o rysowaniu krzyży na wyblakłych kartkach pocztowych i bez przerwy zakochują się w sobie nawzajem?

Mam za sobą dwadzieścia pięć lat małżeństwa, troje dzieci z tym samym mężczyzną, trzy córki. Każda z nich wyjechała, opuściła dom bez uprzedzenia, to znaczy uprzedzając, ale za późno i nie tak jak powinna. Może zbyt radośnie albo zbyt beztrosko, albo bez należytego wahania, w każdym razie wyjechały, opuściły mnie, taka jest kolej rzeczy, jak mówi ich ojciec.

– Słuchaj, Marc, może taka jest kolej rzeczy, może to normalne, nieuniknione, uwarunkowane biologicznie, fizjologicznie i nawet społecznie, wszystko mi jedno! Bo w przeciwieństwie do ciebie ja myślę nie tylko głową!

– A, tak! Kobieta myśli też swoim brzuchem! Daje życie, a my wszczynamy wojny! Gdzie schowałaś bilety na pociąg? Nie znoszę tych rezerwacji przez internet. I nie mów mi, że mężczyźni nie mają żadnego zmysłu organizacyjnego.

– Nic nie mówię. Bilety na pociąg są w mojej torbie.

To były niepotrzebne, infantylne dyskusje. Była w nich ironia ludzi, którzy denerwują się i znają nawzajem tak dobrze, że nie ma mowy o żadnej tajemnicy, żadnym zaskoczeniu. Jest tylko pewność, co myśli druga osoba i w jaki sposób będzie broniła swojego punktu widzenia, zanim się odezwie. Więc oczywiście jest się zmęczonym.

*

Pracuję z dziećmi w przedszkolu. Moje przedszkole jest niedaleko domu, chodzę tam pieszo, unikam metra, tłumu ludzi, którzy się obwąchują i nie lubią. Jestem przedszkolanką – nie mówi się już „przedszkolanka", mówi się „nauczyciel wychowania przedszkolnego", to dłuższe, bardziej obłudne i równie źle płatne. Uczę dzieci czytać. Od ponad dwudziestu lat. Dzieci, które rozumieją. Przyswajają. Zapamiętują.

Christine! Christine, wiem, że możesz to zrobić! B i A: Ba! C i A: Ca! D i A: Da! To proste!

*

Christine, gdy widziała, że zaczynam się denerwować, biegła do matki, zaklinając ją: „Mamo! Mamo! Prawda, że jestem twoim krzyżem?". Matka przybierała wtedy najbardziej przygnębiony, ale też i najdzielniejszy wyraz twarzy i szeptem odpowiadała: „Tak, moja biedna Christine, jesteś moim krzyżem!".

Wtedy Christine wracała triumfalnie do pokoju i mówiła: „No to dlaczego się denerwujesz?".

*

Dlaczego się denerwowałam? Chciałam, żeby mogła robić wszystko, nie tylko śpiewać i być żoną Ringa… Uczyłam ją kreślić drukowane litery, udawało jej się, ale wyrzuciłam jej zeszyty, tak jak wyrzuciłam swoje z poczuciem, że jednak się pomyliłam. Co do wartości tych linii. Wysiłków, które za nimi stały. Bo dla Christine drzwi nie tylko były nieuchylone. Były niedostępne i nierealne.

Nauczyłam ją tylko pisać. Nigdy czytać. Z pewnością dlatego że chciałam tego mniej niż ona. Chyba bałam się tego, co mogłaby przeczytać o świecie, w którym żyjemy i w którym niesiemy nasze krzyże, aby zasłużyć na pobyt w raju, i cały czas czekamy na cudowną wiadomość na kartce pogniecionego papieru.

Tamtego wieczoru, gdy paryskie przedmieścia Champigny, Rungis, Sainte-Geneviève-des-Bois zostały już daleko w tyle, a ja jechałam w kierunku Lyonu, tamtego wieczoru miałam świadomość, że ta podróż nie ma sensu. W każdym razie nie ma sensu dla innych. Jak im to wytłumaczyć? Jak powiedzieć Marcowi? Nie chciałam, żeby się niepokoił, nie chciałam, żeby z tego wszystkiego zrobił się dramat, powód małżeńskiej kłótni, to była moja wyprawa, chodziło o moją historię, która ten jeden raz nie miała nic wspólnego z jego historią. Miałam dość mówienia w liczbie mnogiej. Marc i ja. Mój mąż i ja. Wasz tata i ja. Pojedziemy na wakacje. Na święta zaprosimy X. Oszczędzamy. Uznaliśmy, że… Musimy z wami porozmawiać… Mój Boże! Nawet kupienie pary skarpetek czy zmiana marki pasty do zębów okazywały się wspólną sprawą!

– Emilie! Uwierzyłaś w tę idiotyczną reklamę? Kupiłaś tę potwornie drogą pastę o potrójnym działaniu? Jak pasta może działać potrójnie, ja sam, chociaż jestem człowiekiem, nie podejrzewam siebie o takie zdolności!

– Na pewno nie jesteś zdolny do tego, żeby poznać cenę pasty albo adres najbliższego supermarketu!

Czy te sprzeczki, poza tym że głupie i poniżające dla nas obojga, nie świadczyły o innym rozdrażnieniu, i to dużo głębszym? Często myślałam, że zamiast wybuchnąć – z gniewu, urazy albo frustracji – posyłaliśmy w przestrzeń nędzne docinki, a codzienne gesty i słowa zamienialiśmy w działania wojenne równie nieistotne jak figurki w rękach dziecka.

Powinnam była zadzwonić do Marca. Aby jak najszybciej mieć z głowy wyjaśnienia, zanim zdąży zaalarmować przyjaciół, dzieci, a właściwie może nawet moich rodziców, jeżeli u nich będzie!

– Twoi rodzice! Ależ miej trochę litości dla swoich rodziców! Dwoje nieszkodliwych starców w zdezynfekowanej rezydencji, przecież szczerze mówiąc, tam już nic nie ma, jak się możesz bać pustki?

*

Zatrzymałam się na pierwszym parkingu. Myśl, że Marc mógł zadzwonić do moich rodziców, była niedorzeczna, ale i tak strasznie mnie rozzłościła. Tak, boję się pustki. Boję się, że pewnego dnia skończę jak oni, usiądę w fotelu i będę narzekać, aż nadejdzie śmierć.

Na stacji na autostradzie kupiłam kartę do telefonu i z budki sensownie postawionej na parkingu dla ciężarówek zadzwoniłam na numer domowy.

*

– Marc…
– O Boże, to ty. Ale gdzie jesteś? Co się dzieje, dobrze się czujesz? Umieram ze strachu. Wszystko w porządku?

– Nie znalazłeś mojej kartki? Napisałam ci, żebyś się przede wszystkim nie martwił.

– Kpisz sobie ze mnie?

– Przepraszam…

– Gdzie jesteś? Zapomniałaś telefonu, to jakiś absurd, strasznie się niepokoiłem. Gdzie jesteś?

– Nie dzwoniłeś do moich rodziców?

– Co? Co to wszystko ma wspólnego z twoimi rodzicami? Coś im się stało?

– Nie. Oczywiście, że nie. Chciałam się tylko upewnić, czy do nich nie dzwoniłeś.

– Do nikogo nie dzwoniłem, wyobraź sobie, od godziny siedzę przyklejony do telefonu, na początku myślałem, że chcesz mi zrobić jakąś niespodziankę, a potem…

– Niespodziankę? Jaką niespodziankę?

– No nie wiem… Zobaczyłem jedwabną pościel… Prezenty, świece… Pomyślałem, że może… Ale to idiotyczne, szybko zdałem sobie sprawę, że to idiotyczne, gdzie jesteś? Słyszę hałas… Samochody? Ciężarówki? Jesteś na autostradzie?

– Tak.

Zaległa długa cisza. Bał się. Tylko strach może sprawić, że Marc milczy. Usłyszałam, że pije. Cały kieliszek. Potem zapytał:

– Kiedy wracasz?

– Jadę zobaczyć się z przyjaciółką we Włoszech.

– Coś takiego. W naszą rocznicę. Tak po prostu, nagle. Przyjaciółka we Włoszech.

– To nie ma sensu, wiem…

Kolejny kieliszek…

– Marc…

Rozłączył się.

*

Poszłam na kawę do kafeterii na stacji, o tej porze prawie pustej. Mój entuzjazm opadł. Dlaczego wyjechałam tak szybko? Dlaczego pomyślałam, że to ogłoszenie jest skierowane do mnie? Była w nim mowa o Aix, ale to mogło być przecież Aix-les-Bains albo Aix-la-Chapelle... Na pewno w tamtych latach były jakieś Emilie w tych miastach. Ile Emilie z przeszłości jechało do Włoch odnaleźć Dario z przeszłości? Czy taki chłopak jak on mógł się postarzeć, stać się pięćdziesięciolatkiem z siwiejącymi skrońmi i opadającymi powiekami, którego jedyny urok stanowił włoski akcent, świadomie pielęgnowany, i fałszywie młodzieńczy sposób przeczesywania włosów ręką?

Poczułam na sobie wzrok jakiegoś faceta, otyłego, o twarzy lśniącej od potu. Miał koło czterdziestki i chrapliwy oddech wieloletniego palacza. Wyglądał na zaskoczonego. Obserwował mnie dokładnie, tak jakbym była przedmiotem wystawionym na widok publiczny, ale w nieodpowiednim miejscu. Nie pasowałam do wystroju. Nawet w butach na wysokim obcasie, szyfonowej sukience, pończochach i już nieco z wyblakłym makijażem niezupełnie wyglądałam na taką, która stoi na autostradzie. Gdzie będę dzisiaj spała? Nie pomyślałam o tym... Ile czasu zajmie mi podróż do Włoch? Nie cierpię prowadzić w nocy, a w dodatku byłam zmęczona po całym dniu, zmęczona nadmiarem emocji i zmartwiona rozmową z Markiem. Powiedział: „Na początku myślałem, że chcesz mi zrobić niespodziankę...". To mu przyszło do głowy. Czy mnie przyszłoby do głowy to samo? Nigdy. A co? Że ma kochankę? Że mu powiedziała: „Mam już dość czekania. Dziś wieczorem powiesz jej, że od niej odchodzisz!". Te wszystkie dramatyczne banały, żałosne ultimatum...? Czy Marc miał kochankę? Czy miał sobie coś do zarzucenia? Nie był agresywny, wydawał się zaniepokojony, pił przyklejony, jak powiedział, przez godzinę do telefonu.

Okrągły spocony typ patrzył teraz na mnie, lekko się uśmiechając, wpatrywał się we mnie bez żenady z rozbawioną miną. Natychmiast obciągnęłam sukienkę, schowałam nogi pod krzesło i pospiesznie dokończyłam kawę. Mężczyzna przeciągnął ręką za uchem, wyjął stamtąd papierosa, wycelował go we mnie, po czym papieros zniknął w jego otwartej dłoni. Biedny facet... To mi przypominało imprezy urodzinowe u moich kuzynek i zestaw ich żałosnych sztuczek. Potem wyjął z kieszeni monetę, postawił na niej szklankę, na szklance ułożył serwetkę, to też znałam, moneta zaraz zniknie, abrakadabra. Gdy podniósł serwetkę z chytrym uśmiechem, monety nie było. Lekko skinęłam głową, aby mu pogratulować sztuczki, i wstałam, by wyjść. W tej samej chwili podeszła do niego kobieta, poznałam ją, to była barmanka. Skończyła zmianę. Podniósł się i szepnął jej coś do ucha, a ona słuchała, patrząc na mnie.

Wyszłam.

*

Powietrze było ciężkie. Młodzi Hiszpanie jedli kanapki oparci plecami o maskę samochodu, z radia puszczonego na cały regulator słychać było rap, trochę dalej rozłożyła się na trawie jakaś rodzina, gdzieś w samochodzie szczekał pies, kierowcy ciężarówek rozmawiali z sobą, wymieniali dowcipy, zaciągając się papierosami. Gdy już miałam wsiąść do samochodu, podeszła do mnie barmanka. Biegła, żeby mnie dogonić.

– Zapomniałam czegoś? – zapytałam ją.

Nie mogła złapać oddechu i mocno ściskała rękami biodra, jakby sama siebie chciała przytrzymać.

– To mój mąż. Mówi, że ma pani rację.

– Słucham?

– Wiem, że to się wydaje dziwne, ale on jest magikiem.

– Tak, widziałam.

– I czyta w myślach.

– To dobrze…

Otworzyłam drzwi i szybko wsiadałam do samochodu. Barmanka przytrzymała drzwi i powtórzyła:

– Ma pani rację. Chciał, żebym to pani powiedziała. Ma pani rację.

Popatrzyłam na nią. Nie była już wcale taka młoda. Od jak dawna pracowała w tym miejscu? Pewnej nocy nie mogła spać, bo rano czekała ją rozmowa o pracę z małym, suchym człowieczkiem w czarnym ubraniu. Miał nerwowe tiki i potraktował ją trochę sadystycznie, próbował sprowokować do płaczu. Ale wytrzymała i dostała pracę. Gorąco jej pogratulował, ściskając dłoń, i powiedział, że chciał wypróbować jej odporność, bo klienci nie są łatwi, dadzą się jej we znaki, w tym zawodzie można się spodziewać wszystkiego, a poza tym czy ma wolny wieczór?

– Dziękuję – powiedziałam.

– Nie ma za co. Chcieliśmy oddać pani przysługę.

Wydawało mi się, że czeka na coś w zamian. Na pieniądze? To by było za łatwe, o nic nie prosiłam, ten typ bezwstydnie mi się przyglądał i bez trudu mogłam sobie wyobrazić, że każdemu mówi: „ma pan rację", żeby zgarnąć napiwek. Albo sprzedaje jakąś inną uniwersalną mądrość w stylu „kochajcie się" czy „szczęście jest blisko". Nagle zachciało mi się złapać ją w pułapkę:

– Co jeszcze wyczytał w moich myślach pani mąż?

Zrobiła znużoną minę i natychmiast popatrzyła na parking, szukając go wzrokiem.

– Nie powiedział pani?

– Powiedział mi, żebym pani nie mówiła.

No właśnie. Chodziło o napiwek. Zatrzasnęłam drzwi i od razu zablokowałam je od środka. Barmanka wyglądała na rozzłoszczoną, żeby nie powiedzieć więcej. Przestraszyłam się, że jej mąż to typ łajdaka, który ją pierze, gdy wraca z pustymi rękami. Opuściłam trochę szybę.

– Wygląda pani na zaniepokojoną, coś nie tak?

Spojrzała jeszcze raz na parking, a potem wyszeptała:

– Niech pani ostrożnie jedzie.

– A dokąd?

Popatrzyła na mnie, jakbym była najbardziej ułomnym egzemplarzem, jaki widziała na tej autostradzie, którą przecież jeździli wszelkiej maści dziwacy z czterech stron świata. Przez sekundę się wahała, po czym odparła z całą nienawiścią, jaką w niej wzbudzałam, zmuszając ją do okłamania męża:

– No, do Włoch!

I zanim zdążyłam o cokolwiek zapytać, puściła się biegiem. Ruszyłam szybko i też stamtąd odjechałam.

*

Już wcale nie chciało mi się spać. I ten jedyny raz nie obchodziło mnie, że jadę nocą. Włączyłam radio. France Gall śpiewała szeptem: „Oczywiście… oczywiście… jeszcze się śmiejemy z głupstw jak dzieci… ale już nie tak jak kiedyś".

Mimo woli westchnęłam głęboko, oparłam głowę o zagłówek… Było mi dziwnie dobrze.

*

Po raz pierwszy pomyślałam, że moje córki dobrze zrobiły, wyprowadzając się z domu. Było mi tak lekko, jak gdybym nie była trzy razy w ciąży. Co one sobie wyobrażały? Że skoro zawsze nazywały mnie mamą, zawsze byłam mamą? Czy to one mnie ochrzciły, one dały mi życie? „Zrobiłem z ciebie matkę", mówił Marc, gdy nasze sprzeczki przybierały kiepski obrót. Komu niby powinnam podziękować? Jemu czy moim córkom? Gdy opowiadałam im o czymś, co przydarzyło mi się „w ich wieku", pobłażliwie się uśmiechały, a w końcu łagodnie mówiły: „Wiemy, mamo. Wiemy". Tak uspokaja się chorego, który ma gorączkę i trochę majaczy. Otóż nie, moje drogie, nie wiecie. Przyszłyście na świat pełen starców: wasi rodzice, wasi wujowie i ciocie, wasi sąsiedzi, wasi nauczyciele, sprzedawcy i lekarze, nie mówiąc o dziadkach i wszystkich tych, którzy mają pierwszeństwo w autobusie oraz w kolejce do taksówki. A chwile, gdy można się poczuć lekko, gdy cały świat jest w nas, gotowy, aby wybuchnąć, to nic w porównaniu ze starością, którą w sobie nosimy, daną nam przy narodzinach. Gdy przychodzimy na świat, mamy mniej więcej tyle lat, ile wszyscy dokoła. Oczywiście to nie jest takie widoczne. Ale gdybyście wiedziały, jak długie i podobne dla wszystkich jest to, co was czeka! Gdybyście wiedziały, ile przed wami kolejek w supermarketach, szefów, którzy was zlekceważą, rachunków i białych nocy, słów, które was zranią, przyjaciół, którzy zdradzą, i dzieci, które się oddalą, odrażających wydarzeń, dalekich wojen, rzezi w telewizji i sąsiadów, którzy hałasują. Ten wieczór to wieczór autostrady. Jest ciemno, sceneria wokół niewidoczna – ani telefonu w torbie, ani pasażera obok, ani nawet walizki w bagażniku, śpiącego psa, listu w pustej kieszeni, nie ma nic.

Może tylko magik, który pomyślał, że mam rację, jadąc do Włoch – no jasne, trudno, żeby na autostradzie A6 pogratulował mi tego, że jadę do Brukseli... Oszuści są nie tylko dobrymi psychologami, są też logiczni.

Mimo wszystko gdy około drugiej nad ranem zbliżałam się do Lyonu, poczułam się zmęczona. Kilka razy o mało nie zasnęłam, moje ciało drętwiało, miałam lekką migrenę. Na wysokości Châlons zatrzymałam się w hotelu Formuła 1. Jarzeniówki oświetlały szarawy hall, tak że wyglądał jak w dzień, w recepcji nie było nikogo, tylko maszyna, do której włożyłam kartę kredytową, a ona podała mi numer pokoju i otwierającą go kartę magnetyczną. Pomyślałam, że piekło musi być podobne do tego hotelu bez obsługi, że z pewnością znajduje się przy drodze, otwarte stale i dla wszystkich, brzydkie, anonimowe i za mocno oświetlone. A jednak gdy już znalazłam się w pokoju, poczułam ulgę: w końcu mogłam zdjąć pas wyszczuplający, pończochy, sukienkę, buty na obcasach, mogłam wziąć długi, ciepły prysznic i położyć się w czystej pościeli. Przez chwilę, zanim zasnęłam, śmiałam się ze szczęścia. Nic mi się nie śniło.

*

Gdy się obudziłam, piekło znów czyhało u progu. Huk pojazdów pędzących z ogromną prędkością po autostradzie był niczym w porównaniu z hałasem autobusów stojących z włączonymi silnikami na parkingu. Na korytarzu ktoś odkurzał, uderzając rurą w ściany, z radia dochodził ryk reklam sieci tanich supermarketów i prowadzonej w nich wyprzedaży. Co ja tu do licha robię? Czyż nie miałam się obudzić w ramionach Marca, w jedwabnej pościeli, w pasie wyszczuplającym, w nogach łóżka miały leżeć rozpakowane prezenty, a puste kieliszki stać obok wypalonych świec? Co mnie napadło, żeby uciec w naszą rocznicę, na której przygotowanie poświęciłam tyle czasu? I jaki był cel tego ogłoszenia w gazecie? Co chciał sprawdzić ten mój piękny kochanek? Właśnie się dowiedział, że ma raka, pisze pamiętniki, testuje swoją zdolność uwodzenia po tylu latach? Tego wszystkiego nie wiedziałam. Ale miałam zaufanie do Dario i do tego niespodziewanego porywu, który wypędził mnie z domu. Czułam się silna, jak kobieta, która będąc u kresu sił, nagle postanawia skoczyć do lodowatej wody i wypływa stamtąd bez tchu, odmieniona.

Źle zrobiłam, że pojechałam autostradą. Trzeba było skoczyć po wygodne ubranie i skierować się na drogę krajową. Jechać do Genui w rytmie, na jaki sama się zdecyduję i który będzie dla mnie odpowiedni.

Z aparatu stojącego na szafce nocnej zadzwoniłam do Marca. Telefon długo dzwonił, zanim Marc odebrał, wiedziałam, że o tej porze jest pod prysznicem. Mogłam bez trudu odgadnąć, że jedną ręką wyciera sobie włosy, a drugą podnosi słuchawkę, mogłam sobie wyobrazić jego lekko pochyloną głowę, zmrużone oczy, krople wody na szyi.

– Marc, to ja. Słuchaj, ja naprawdę jadę do Włoch. Nie do przyjaciółki, tylko...

– Przeczytałem wszystkie twoje SMS-y, wiesz? I przesłuchałem pocztę głosową. Albo masz kilka telefonów, albo zadziwiająco dobrze ukrywasz swoją grę.

– Wrócę za tydzień, nie później.

– Będziesz pod jakimś telefonem?

– Nie, to ja będę do ciebie dzwonić, daj mi swój numer komórkowy, nie znam go na pamięć, i numery dziewczyn, mam nadzieję, że do nich nie dzwoniłeś?

– Przestań mi mówić, do kogo mam dzwonić, a do kogo nie. Oczywiście, że do nich dzwoniłem! A co ty byś zrobiła na moim miejscu?

– Mogę pisać, daj mi numery.

– Na twoje własne ryzyko.

– Słucham?

– Dzwoń do nich, jeśli chcesz, ale wątpię, żeby były tak spokojne jak ja.

– A dlaczego? Dlaczego nie miałyby być spokojne? Co to dla nich za różnica, czy jadę do Włoch czy nie? Nie zamierzam spędzić życia, składając wam wszystkim sprawozdania z tego, co robię, co myślę i co zamierzam, za kogo wy się macie?

– Za twoją rodzinę.

– Świetnie. To sobie zatrzymaj te swoje numery.

I się rozłączyłam.

Za pierwszym razem kiedy zobaczyłam Dario, całował się z inną. To była jedna z tych zakrapianych imprez, na które nie wolno mi było chodzić. Miały one jednak tę zaletę, że odbywały się przy zasłoniętych oknach, nie było ryzyka, że mama zobaczy mnie z zewnątrz, nie ja jedna byłam tam po kryjomu, a koleżanki nie puszczały pary z ust, no chyba że, co jasne, podłożyło im się jakąś świnię. To dlatego nie wyłam z gniewu tamtego popołudnia, gdy Coralie Finel* (która była otyła mimo nazwiska) całowała się z nim namiętnie, podczas gdy Rolling Stonesi płakali po Angie. Całować się z Dario przy „Angie, oooch Aaaangie!" to było marzenie połowy dziewczyn w liceum, bo druga połowa albo była homoseksualna, albo cierpiała na głębokie nerwice lub paraliż twarzy. Dario nie skąpił swoich względów i połowa liceum wiedziała, czego się spodziewać: był przystojny, zdolny i niewierny. Nigdy żadna z dziewczyn nie odważyłaby się wymagać od niego przysięgi,

---

* *Fine* (fr.) – cienka, drobna, lekka, delikatna (wszystkie przypisy pochodzą od tłum.).

a już na pewno nie tego, żeby jej przestrzegał. Wszystkie obracały językiem jak należy, dziękując niebu za bliskość włoskiej granicy, która pozwalała na tę błogosławioną emigrację. Wszystkie, oczywiście, oprócz mnie. Nie byłam ani lesbijką, ani paralityczką, nie byłam bardziej znerwicowana niż inne, a jednak... Dario Contadino w ogóle na mnie nie patrzył! A tamtego popołudnia, gdy całował Coralie Finel, pieszcząc jej kark jedną ręką, a drugą opierając na jej ogromnym tyłku, targało mną mnóstwo sprzeczności. Znałam go z nazwiska, wiedziałam o powodzeniu, jakim się cieszył, po szkole krążyło jego zdjęcie, jego imię było wyryte na pulpitach ławek i wypisane na ścianach toalet, podobnie jak poetyckie wyznania w stylu: „Och, Matko Boska! Ty, która miałaś dziecko, ale bez seksu, ześlij na mnie seks z DARIO!!!, ale bez dziecka". Właściwie nie było w nim niczego, co by mi się podobało, byłam naiwnie sentymentalna, marzyłam o burzliwej miłości z jakimś prowansalskim Heatcliffem, o czymś skomplikowanym, co by mną wstrząsnęło, przytłoczyło mnie, od czego bym się wykrwawiła i nasyciła. Ale tamtego popołudnia ręka Dario we włosach Coralie, jego palce wplątane w jej jasne kosmyki, trochę lepkie, wprawiały mnie w takie wzburzenie, że nie umiałabym tego wyrazić. We właściwy sobie sposób pieścił ją na przemian łagodnie i porywczo, co mnie fascynowało. Najgorzej było chyba wtedy, gdy dotykał jej powoli. Powolność i fałszywe wahanie jego palców sprawiały, że miałam chęć krzyczeć. Umiejętnie dawkował pieszczoty z wystudiowanym ociąganiem.

– Staje mu, nie? – zapytała Magali Blanc, dumna, jak gdyby to ona sama mu go uniosła.

„Staje?" Więc to było to. To, co czułam. Pożądanie. Jak mężczyzna. Nikt mi nie powiedział, że to działa w dwie strony. Moja mama zawsze mówiła: „mężczyźni to psy", więc gdy po raz pierwszy zobaczyłam jamnika, który bardzo długo próbował wskoczyć na suczkę, mieszańca, trochę dla niego za wysoką, bez wyrzutów uznałam, że miłość to nie dla mnie.

Pod koniec słynnego *slow* Coralie Finel, która wiedziała, że jej godziny są policzone, praktycznie pożarła Dario. Otworzyła usta tak szeroko, jakby chciała go połknąć. Nie bronił się, znał doskonale ten rodzaj przedwczesnego żalu.

– Mam nadzieję, że zaszczepił się na wściekliznę – szepnęła do mnie zazdrosna Magali, po czym rzuciła się do niego z butelką coli w ręku. Chciała, żeby doszedł trochę do siebie, zanim zatańczy z nią *Que je t'aime*.

Coralie Finel dosłownie zwaliła się obok mnie, wzdychając „kurwa!" w niezwykle romantyczny sposób.

*

Stojąc pośrodku skąpanego w półmroku salonu, Dario przetarł czoło zewnętrzną stroną dłoni. Obrócił głowę i choć nie miał takiej intencji, jego wzrok padł na mnie. Nieco zagubione spojrzenie prawie nieobecnych niebieskich oczu. Spojrzenie, po którym było jasno widać, że go tu nie ma. W ogóle go nie ma. Ale w takim razie gdzie był, gdy flirtował z niezmiennym natężeniem z wszystkimi, które się zgłaszały?

Wstałam i wyszłam z głębokim przekonaniem: miłość nie ma nic wspólnego z jamnikami.

„Wymarzył sobie życie, przeżył swoje marzenia, wymarzył sobie życie i przeżył swoje marzenia, wymarzył…”

– Hej ho, Christine! Już jest dobrze, wiesz o tym.

– Tak uważasz?

– Jestem pewna.

– Będzie jej się podobało?

– Bardzo.

– A gdzie ma być: „wszystkiego najlepszego, mamo”?

– Jak to gdzie ma być? Tam, gdzie chcesz, to przecież nic trudnego powiedzieć: „wszystkiego najlepszego, mamo”, daj mi dwie sekundy, uczę się.

– Ja też się uczę. „Wymarzył sobie życie, przeżył swoje marzenia, przeżył swoje życie…” Nie. Miał swoje życie, a ja moje marzenia… Miał swoje marzenia, a ja moje życie… Nie pamiętam! Nie pamiętam! Nie pamiętam!!!

*

Rzuciła się na ścianę głową naprzód i udało się jej. Stłuczone szkło okularów poharatało jej łuk brwiowy. Nie wiedziałam, że łuk brwiowy może tak bardzo i tak długo krwawić.

W poczekalni izby przyjęć, przytrzymując ręką kompres na oku, dalej cichutko powtarzała to, co dwudziestego piątego kwietnia 1975 roku dziennikarka powiedziała o Mike'u Brancie: „wymarzył sobie życie, przeżył swoje marzenia". Chciała do tego dodać: „wszystkiego najlepszego, mamo", bo dedykowała ten „wiersz" naszej ukochanej mamie, chociaż nie było ku temu żadnej okazji. Ta mama zresztą rozstrzeliwała mnie właśnie wzrokiem, miażdżąc w palcach krzyżyki zawieszone na szyi. Skończyło się na tym, że dostałam szlaban na wyjścia, a przede wszystkim złą ocenę z pracy domowej z historii – na korytarzu szpitala w Aix nie miałam serca uczyć się o zabójstwie arcyksięcia Franciszka Ferdynanda i jego tragicznych konsekwencjach na scenie międzynarodowej. Ale rozumiałam wpływ – niekiedy tragiczny – na moje życie tego pieprzonego nadliczbowego chromosomu Christine, nad którym musiałam czuwać, jak gdybym sama go jej podarowała i bała się, że go straci.

Nieco zagubiony wzrok Dario przecierającego sobie dłonią czoło po pożarciu przez ogromną Coralie Finel wciąż mnie prześladował. Nie wiedziałam, co zrobić z tym zmęczonym spojrzeniem, które mu się wymknęło i napotkało bezpośrednio mój wzrok. Interpretowałam je na różne sposoby: miało wyrażać zmęczenie, niesmak, a może była to poza sportowca między dwiema walkami, artysty między dwoma występami. Miałam wrażenie, że widzę Dario Contadino od kuchni. To było poruszające. I sprawiało, że chciałam wiedzieć więcej o jego życiu intymnym. Na początku więc związałam się z nim być może bardziej z ciekawości, niż czując przyciąganie. Postanowiłam przyjąć postawę przyjacielską, niemalże męską, stać się jakąś hybrydą, jak te wszystkie harcerki katoliczki, które mama w niedzielne popołudnie uczyła katechizmu w naszym salonie. Wychodząc z domu, często je mijałam, miały końskie ogony w kolorze blond, zdarte kolana i dobrą wolę. Tak bardzo chciały być wcieleniem tego, czego Baden Powell spodziewał się po młodej, prawdziwej katoliczce, że zgadzały się na wszystko: codzienne dobre uczynki, msze na świeżym powietrzu, trzy akordy gitarowe, którymi akompaniowały sobie, śpiewając piosenki *Harcerze rozpalili ogień* lub *To dzwon starego dworu*. Poza tym klepały grzeczne formułki i nosiły plecaki, które nigdy nie były za ciężkie, chociaż pakowały do nich kamienie, żeby ich wysiłek był większy, naprawdę „starały się, jak tylko mogły" – co zresztą skandowały chórem. Myślę, że w każdą środę po południu w naszym salonie przechodziły same siebie. Mama afektowanym głosem groziła im piekłem, a wrzące kotły i włochate diabły były niczym wobec posępnych demonów ukrywających się w każdej z nich i gotowych bez ostrzeżenia zerwać się z łańcucha. *Ukąszenia Draculi* czy *Teksańska masakra piłą mechaniczną* były przy tym jak napar z rumianku. Nie wiem, czy naprawdę w to wierzyły, czy udawały, ale mnie i Christine było ich po prostu żal. Gdy więc mama wychodziła do kuchni, aby przygotować przyjacielską lemoniadę cytrynową na zakończenie seansu, przynosiłam do salonu gramofon, a Christine zaczynała śpiewać do swojego ulubionego playbacku, który zresztą pasował jak ulał do okoliczności: oczywiście *To moja modlitwa*. Bardzo przy tym przesadzała. Nie tylko kołysała się w biodrach bardziej niż zazwyczaj, ale podchodziła do nich i kiwając głową, kładła im palec na nosie albo szczypała je w policzek, albo lekko uderzała w kark, a harcerki nie mogły się zdecydować, czy śmiać się szaleńczo, czy litować. Były ostrożne, więc wycofywały się bez słowa po letniej lemoniadzie i świętych obrazkach, które mama dawała im jako punkty. „Święta Blandyna rzucona na pożarcie lwom", „Święty Wiktoryn pod pręgierzem", „Święty Klaudyn pocięty na kawałki i wypatroszony". Zastanawiałam się, jak po tym wszystkim mogły jeszcze mieć tyle zapału, żeby śpiewać słynny kanon: „Ra-a-dość! Ra-a-dość! Ra-dość! Radość!".

Właśnie. Mniej więcej w ten sposób postanowiłam zbliżyć się do Dario: pełna dobrej woli i nie myśląc już więcej o wzburzeniu, jakie przeżywałam, gdy poniewierał brudnymi włosami Coralie Finel. Ten obrazek przeganiałam zawsze, gdy tylko się pojawił, to znaczy mniej więcej co dwie minuty, i czułam się jak pani adwokat zakochana w swoim kliencie, archeolog owładnięty urokiem ruin, krótko mówiąc, byłam zdezorientowana.

Po raz pierwszy zaczepiłam go w domu kultury na bulwarze Republiki. Nie należał do żadnego zespołu gitarowego, teatralnego ani tanecznego, zawsze po prostu tam był, jakby przez przypadek, a dziewczyny wpadały w jego ramiona, bo był przystojny, do dyspozycji i nie miał zajęcia. Nie podziwiano go ani za obłędną grę na perkusji, ani za tyrady lirycznego amanta, po prostu był i można się było nim częstować.

– Dziwne jest to, że jeszcze żaden koleś nie skuł mu gęby, nie wydaje ci się?

Moja przyjaciółka France zawsze się bała, żeby Dario nic się nie stało. Uważała go za bożyszcze nękane przez fanatycznych ekstremistów, za świętego, któremu zabrakło kilku uważnych ochroniarzy. Może się zresztą nie myliła.

– Naprawdę dziwne jest to, France, że jeszcze żadna dziewczyna nie wydłubała mu oczu. Łatwiej pożyczyć sobie Dario niż dziesięć franków. Ale jeżeli pewnego dnia któraś rozetrze go w moździerzu, nie będę się dziwić.

– Ale masz pomysły! To obrzydliwe!

*

Tego dnia Dario z roztargnieniem słuchał, jak kilku jego
kolegów na zakurzonej drewnianej estradzie masakruje *Let
It Be* za pomocą źle nastrojonych gitar i głosów, nad którymi
w samym środku mutacji nie mogli zapanować. Wydawane
przez siebie wysokie, świdrujące dźwięki brali za rzewne
uniesienie, a chwiejne basy za niepokojącą męskość. Piosenka Beatlesów była tylko alibi dla ich plemiennego narcyzmu,
mieli głęboko gdzieś to, czy ich wykonanie to masakra utwo-
ru, dopóki tylko głęboko wierzyli, że im wychodzi. Ich ego-
centryzm był hałaśliwy. Dario się nudził i było mu z tą nudą
do twarzy. Pochylił nieco głowę, a jasne włosy opadły mu na
twarz. Patrzył na kolegów na wpół przymkniętymi oczyma,
potrafił się odciąć od tego, co mu przeszkadzało. Nigdy nie
widziałam nikogo, kto umiałby zachować tyle trzeźwości
umysłu, będąc nieobecnym.

Podeszłam do niego. Podniósł się nieco, zawsze gotów
wyświadczyć przysługę. Wyciągnęłam do niego rękę w sposób, jaki podpatrzyłam u chłopców z liceum Mignet, którzy
po meczu piłki ręcznej wyciągali ręce do drużyny przeciw-
ników. Z zaskoczenia się uśmiechnął, a ja powiedziałam coś
dokładnie przeciwnego niż to, co miałam chęć powiedzieć:

– Idę stąd.

Jak na kogoś, kto właśnie przyszedł i po raz pierwszy się
odezwał, było to dość dziwne, przyznaję. Dorzuciłam więc
pospiesznie:

– Ale wrócę.

Wybuchnął śmiechem, a perkusista zespołu rzucił do
mikrofonu: „niektórzy tu pracują!", co pozwalało się domy-
ślać, kim ten typ zostanie później: strażnikiem. Zaczęliśmy
z Dario rozmawiać szeptem. Zapytał cicho:

– To ty jesteś Emilie?

– Tak. A ty?

– Dario.

– Jak?

– Da-rio. To włoskie imię.

– Mario?

– Nie! Nie MA-rio. DA-rio!

– Ario?

– Dario!

Uwielbiałam słuchać, jak wymawia swoje imię! Zrobiłabym cokolwiek, żeby je ciągle powtarzał. I byłam zachwycona, że przedstawiając mi się, okazuje tyle dobrej woli! Ale najbardziej mi pochlebiało, że zna moje imię. Chciałam być konsekwentna i powtórzyłam:

– Idę stąd.

Rzucił okiem na scenę i zdegustowany powiedział:

– Ja też.

Strażnik i jego towarzystwo mimo wszystko na krótką chwilę zamilkli, gdy zobaczyli, że wychodzimy na palcach, rozmawiając szeptem: „Dario? Ale Dario jak? Contadino. A, Ario Contadino? Nie: DArio! Da! Da! A, DArio! DArio! Tak!".

Ach… Dario… Dario Contadino… To tak właśnie wszystko się zaczęło. *Mezza voce*[*]…

---

[*] *Mezza voce* (wł.) – półgłosem (w muzyce).

Dzisiaj jestem młodsza niż w wieku dwudziestu lat. Moje pragnienia są mniejsze, priorytety też. Chciałam wyjść za mąż, mieć dzieci, zawód, przyjaciół, urlop na święta. I miałam to wszystko. Włożyłam w to tyle energii, obaw i uwagi, wysłuchałam tylu rad, przeczytałam tyle książek, czasopism... Tyle godzin spędziłam przy telefonie, rozmawiając z przyjaciółkami, które miały dzieci w podobnym wieku, mężów zbyt poważnych lub niestałych, zbyt nachalnych lub wiecznie zaganianych, z przyjaciółkami, które dawały mi adresy schronisk z sieci Gîtes de France, niedrogich kwater, poważnych opiekunek do dzieci, kompetentnych lekarzy, psychologów... Rozmawiałyśmy o zmęczeniu i złości, ale nie po to, żeby się ich pozbyć, tylko po to, żeby je przezwyciężyć, pokazać jako chwilową słabość – i to był błąd. Nic z tego wszystkiego nie było chwilowe, tyle czasu brałam to wszystko na siebie, że wypadłam z gry. A dzisiaj moje dzieci, które wyssały moją krew, zabrały mi czas, sen, beztroskę, pieniądze, nazwisko, te dzieci nie zgadzają się na to, żebym pojechała do Włoch? Nie zgadzają się? Naprawdę, można umrzeć ze śmiechu!

W imię czego miałabym zrezygnować z wyjazdu? Bo to nierozsądne? Nie powinnam „zachowywać się jak nastolatka", za to robić to, co przystoi w moim wieku? Ile milionów nas, kobiet, ma teraz dokładnie czterdzieści osiem lat? Coralie Finel... France... Magali... Całe dawne klasy szkolne czterdziestoośmioletnich kobiet, zakochanych kiedyś dziewczyn, młodych bab i starych marzycielek. Bo my marzymy. Marzymy o pocałunku, który obudzi księżniczkę śpiącą od tak dawna, że jej włosy stały się tak długie, jak dłuży się jej nuda. Ogłoszenie znalezione w gazecie stawia nas nagle na nogi, nasze serce przeszywa prąd, oczy otwierają się szeroko i wszystko, co nie zdarza się w naszym wieku, może się wreszcie wydarzyć.

*

Byłam młoda w wieku od szesnastu do siedemnastu lat.
I w tym wieku zatrzymałam się na wieczność.
W dodatku wiem, gdzie go odnaleźć. Na wzniesieniach Genui, w żółtej willi o niedbale pomalowanych okiennicach, zbyt wysokich sufitach i niedogrzanych pokojach. W kuchni pośród gorąca pieców czuć zapach białego mydła i wina rozlanego na zbyt ciężki obrus. Ktoś wciąż wygania stąd psa, a on ciągle wraca, za bufetem leżą porzucone obgryzione kości. Jest tam zapach czosnku i szynki, stukot obcasów kobiet biegających po korytarzu, krzyki dochodzące z odległego ogrodu, purpurowe wilce, delikatne jak kwiaty z papieru, a pod jakimś drzewem, być może na tle drgającego błękitu dalekiego morza, nieskończenie dobre, zagubione spojrzenie, łagodna obecność Dario Contadino.

– Mosze? Nazywał się Mosze?

– Oczywiście, że nazywał się Mosze. I wyobraź sobie, że nie znał ani słowa po francusku. A wiesz, jak się uczył tych swoich pierwszych francuskich piosenek? Fonetycznie! To znaczy, że zapamiętywał dźwięki, rozumiesz, Christine? Nie to, co one znaczyły. Nie rozumiał *To moja modlitwa*.

– Modlitwa to modlitwa, wszyscy rozumieją modlitwę, bo to jest modlitwa. Dlaczego mówisz takie... rzeczy...?

– Jakie?

– Przestraszyłaś mnie. A jak się przestraszę, to się denerwuję, więc dlaczego to robisz? Jak się nazywał Mike Brant?

– Nie, już nic nie mówię, zdenerwujesz się.

– Przyrzekam, że się nie zdenerwuję. A jak skłamię, to będę się gotować w piekle!

– Nie gotować, tylko smażyć w piekle. Mama kłamie, piekła nie ma.

– Jak się nazywał Mike Brant, powiedz mi, bardzo cię kocham. Jak się nazywał?

– Nazywał się Mosze. To jak Mojżesz.

– Dlaczego?

– Bo był Żydem.

– Aha…

*

Jeżeli był w domu jakiś liczący się argument, to właśnie ten: „bo był Żydem". To dzięki niemu moi rodzice rozumieli świat, układali go w maleńkich szufladkach, które zawierały pytania i odpowiedzi dotyczące historii Francji, ich uwielbienie dla papieża i pogardę dla wszystkich, którzy „ciągle rozpamiętywali drugą wojnę światową, przecież wiemy już o niej wszystko, za dużo się o niej mówi". Pétain, jak powtarzał mój ojciec, przyszpilając martwe motyle do pustych skrzynek po warzywach, Pétain był zwycięzcą spod Verdun i wtedy „nikt nie wiedział". Naprawdę bardzo łatwo oceniać tamte wydarzenia teraz, mając w ręku wszystkie karty, obejrzawszy film do końca, ale oni wtedy nie wiedzieli więcej niż Żydzi, którzy całymi rodzinami wsiadali do wagonów, nie zadając sobie pytań.

*

– Co ty naopowiadałaś Christine? Że Mike Brant był Żydem? Co ty za gazety kupujesz? I skąd masz pieniądze?

– Oczywiście, że Mike Brant był Żydem, a jego oboje rodzice uratowali się z Auschwitz, i nawet z tego powodu miał depresję.

– Nic dziwnego, że popełnił samobójstwo. Chrześcijanin nigdy by tego nie zrobił.

*

Ciocia Suzanne miała takie wspomnienia, jakich nie miała mama. To ona jako mała dziewczynka stała w koszuli nocnej na progu mieszkania i widziała, jak sąsiedzi z góry schodzą po schodach w samych tylko płaszczach narzuconych na szlafroki, z maleńką walizeczką w dłoni, dlatego że są Żydami. Z tego powodu bała się nocy i zasypiała zawsze przy włączonym radiu i świetle w korytarzu jak dziecko. Zastanawiam się, co myśleli o tym jej kochankowie. Być może gdyby co wieczór zasypiała jak dorosły człowiek, bez wspomnienia tamtej nocy, odgłosu kroków, które nigdy się wystarczająco nie oddalą, i bladego światła z korytarza na twarzy sąsiadki, gdyby nie miała gwałtownego, przytłaczającego poczucia, że nie rozumie, co się dzieje, ale że najgorsze tkwi w tym, czego nie wie, być może nie trzymałaby przez całe życie w ramionach tylu mężczyzn.

*

– Jak śmiałaś powiedzieć to Christine?
– Że był Żydem?
– Nie! Że piekła nie ma!

*

Bo jest coś innego. Bo bez przerwy gdzieś na świecie zapalają się jakieś światła, bo gdy ja wstaję, inni się kładą, bo dokładnie w chwili, gdy to mówię, dwoje ludzi całuje się po raz pierwszy. Kładę na ceracie cztery nakrycia, a oni się całują, odmawiam błogosławieństwo, a oni dalej się całują, Christine hałasuje, jedząc potrawkę, a oni dalej się całują, mój ojciec mówi: „nie powiedziałem mu tego prosto w twarz, znasz mnie, ale miał minę, trzeba było to zobaczyć", i ślina spływa im do gardła, mama odpowiada: „chyba ją jednak za

50

mało posoliłam, nie kładź chleba na skórce", a oni się całują, całują, cały świat naokoło wydaje się chory i wali się, ich ciała zajmują miejsce gór i drzew. Dario umówił się ze mną dziś po południu o trzeciej przed gimnazjum Dominikanów i moje życie ucieka przez okno, Mike Brant naprawiał lodówki, nazywał się Brand, z „d" na końcu, ale zamienił je na „t" właśnie dlatego, żeby nie mieć nic wspólnego z lodówkami. Czasem wystarczy maleńki szczegół, aby nasze życie było łatwiejsze do zniesienia, jedno „d", jedno „t", imię croonera[*], włoskie imię. Dario, Dario Contadino czekał na mnie, na mnie, Emilie Beaulieu. Na mnie i żadną inną.

---

[*] *Crooner* (ang.) – wykonawca muzyki swingowej.

Minąwszy Lyon, jechałam powoli, z łokciem opartym o szybę, przez rozmyty krajobraz czerwcowego dnia. Powietrze drżało od upału tak gęstego, jak gdyby zaraz miał wybuchnąć. Na tej ziemi zrodziło się coś, co było mi znane i należało tylko do mnie, trochę jak powiewająca na wietrze, zaplątana w gałęzie drzewa apaszka, której nie możemy dosięgnąć – osobisty, zgubiony symbol nas samych. Coś zgubiłam w tym jakże francuskim krajobrazie o przyćmionej zieleni, z dzwonnicami wąskimi jak ostrza, z jasnymi, pełnymi ryb potokami.

*

Zatrzymałam samochód i szłam suchą ścieżką, a to coś – marzenie obecne, ale niemożliwe do uchwycenia – rosło. Szukałam obrazu, słowa, które otworzyłoby mu drogę, ale przede mną był tylko zwodniczy spokój porozrzucanych w krajobrazie wiosek i zaniedbanych dróg oraz tutejsi ludzie, podobni do ludzi z każdego dzieciństwa, postacie ze wsi, ich ciężka mowa, szczekające psy plączące się między ciemnymi nogami kobiet. Dotarłam do wioski. Chciałabym, aby była inna, nie tak ponura, bardziej otwarta na innych, ale z okien dochodziły tylko głosy z telewizora, spikerzy wiadomości wypowiadali się z taką energią jak gospodarze teleturniejów, i można by uznać, że nawet w opisach katastrof było coś do wygrania. Weszłam do ciemnej kafejki, głosy umilkły. W Châlons kupiłam dżinsy i kilka jasnych podkoszulków, różowe tenisówki. Szłam szybko, niosły mnie kauczukowe podeszwy, dzięki nim chciało się tańczyć. Byłam mała i ano-nimowa. Ale głosy umilkły.

Pijąc kawę, czytałam lokalną gazetę: złote gody, konkurs gry w kule, loteria, bal seniorów i wyprzedaż starych pługów, psów, owiec, samochodów... Nic o Emilie i o Dario. Żadnego spotkania na wzgórzach Genui. Patrzyłam na mężczyzn wo-kół mnie, byli w takim wieku, w którym mężczyźni dawno już nie mają chęci dbać o siebie, można powiedzieć, że ich ciała ześlizgiwały się z nich, zatrzymując się warstwami na brzuchu, na pośladkach, na powyginanych nogach. Byli po-dobni do źle upieczonych, zapadających się ciast, ale nic ich to nie obchodziło. Czy byli w wieku Marca? W wieku Dario? Oni obaj mieli po pięćdziesiąt lat. Marcowi nie wypadały włosy, nie miał brzucha i już nie palił. Uprawiał sport, smaro-wał czaszkę różnymi płynami, policzki kremami i na czarno-białych zdjęciach nie bardzo różnił się od tego Marca, którego poznałam kiedyś. Pewnego dnia, gdy przekomarzał się z na-szymi córkami, nie tak dawno temu, dojrzałam nagle jego wiek, jakoś tak po prostu. Zobaczyłam zmarszczki w kącikach oczu i na czole, zmęczoną skórę, skronie pobielone siwizną, wszystko, co zaczęło się rysować już lata temu, objawiło się w tej jednej chwili. Podobało mi się to. Żartował ze swoimi córkami, nie był już groźnym ojcem, takim jak wcześniej, często szorstkim i pewnym siebie, nieomylnym. Czas sprawił, że stał się pobłażliwy, nauczył się słuchać, kobiety lubiły mu się zwierzać, mówiły mi: „ty to masz szczęście".

– Chyba się znamy.

Kobieta miała dwa złamane zęby. A jednak była ładna. Gdy się nie odzywała, jej niebieskie oczy zajmowały prawie całą twarz, która wyglądała szlachetnie. Malarz namalowałby ją z profilu, a na obrazie wyglądałaby na młodą kobietę, która właśnie podniosła oczy znad książki i patrzy daleko przed siebie, pogrążona w głębokiej refleksji. Była pełna blasku.

– Myśli pani, że się znamy? – odparłam.

– Jestem tego pewna.

– Jestem tu po raz pierwszy.

– Być może. Ale już panią widziałam. Jak się pani nazywa?

– Emilie.

– Proszę pójść ze mną, coś pani pokażę. Ależ tak, proszę pójść ze mną.

Po mroku panującym w kawiarni wioska była okrutnie biała. Szłam za dziewczyną.

– Ja się nazywam Sylvie, wiedziała pani?

– Nie.

– Och, to nie szkodzi.

Szłyśmy w milczeniu aż do jej przyczepy stojącej w polu pod suchym drzewem, które nie dawało cienia. Zaproponowała, żebym usiadła, wokół składanego stolika było rozstawionych kilka krzesełek turystycznych.

– Miło tu, nie? – powiedziała, puszczając oko. Weszła do przyczepy po piwa, kiełbasę, kozi ser, czarne oliwki i chleb i włożyła to wszystko do koszyka, jak na piknik.

– A jak się masz? – zapytała prosto z mostu.

Wahałam się przez chwilę, byłam głodna i spragniona, okolica była ładna, nie chciałam jej okłamywać. Powiedziałam:

– Dziwnie dobrze się u ciebie czuję.

– Dziękuję… częstuj się, wszystko jest na stole, bierz, co chcesz.

A potem nie powiedziała już nic. Jadła i uśmiechała się do mnie, ukazując złamane zęby, które mówiły więcej niż słowa. Poczułam wyrzuty sumienia, że tyle jem.

– Przychodzę z pustymi rękami… Przykro mi.

– Nie szkodzi, następnym razem ty mnie zaprosisz.

A potem popatrzyła z satysfakcją przed siebie, można by uznać, że dogląda krajobrazu i cieszy się z panującego wokół spokoju. Jadła, nie przejmując się już mną. Przechyliłam się razem z krzesłem do tyłu, z puszką piwa w dłoni, i zrobiłam to co ona, patrzyłam na ten nieruchomy pejzaż, jak patrzy się na morze. Kojarzyła mi się z Christine, Christine mogłaby robić coś takiego: patrzeć prosto przed siebie i milczeć. Przy tym oddychałaby ciężko, głęboko wzdychała, trzymała rozłożone dłonie na udach.

– Moja siostrzyczka Christine jest mongołkiem.

– Tak.

– Mówię „moja siostrzyczka", bo teraz… co mam powiedzieć? Wydaje mi się młodsza ode mnie, tak… A jednak ma ponad pięćdziesiąt lat. Dziwna jest ta jej twarz… Jakby stara mała dziewczynka.

– Tak.

– Jak lalka. Moje lalki z dzieciństwa miały fryzury jak eleganckie kobiety, jak gdyby… jak trwałe. Jakby miały implanty na głowie, tak jak niektórzy szykowni starsi panowie. Dzisiejsze lalki już wcale takie nie są… Christine, moja siostrzyczka, wygląda bardzo młodo i bardzo staro.

– Ja też.

Otworzyłam następną puszkę i dalej milczałyśmy. Po dłuższej chwili dodałam:

– Teraz to prawie starsza pani. Należy jej się szacunek.

– Tak.

Zamknęłam oczy. Usłyszałam ptaki, wysoko na niebie ciągły dźwięk lecącego samolotu, w oddali co jakiś czas szczeknięcie psa, a potem znów zapadła cisza, jak narzucająca się obecność. Nagle rozległ się huk wystrzału, ptaki poderwały się w panice, ich skrzydła biły bezładnie w powietrzu, po czym znów nastała cisza, tym razem podejrzana. Zaśmiałam się.

– Dlaczego się śmiejesz? Lubisz polowanie?

– Chciałam sobie coś przypomnieć, trochę wspomnienie, trochę marzenie. Teraz pamiętam.

– Jesteś zadowolona?

– Tak. Bardzo zadowolona.

Pozwoliłam sobie przez chwilę rozkoszować się wspomnieniem, zabawnym, zmysłowym i ważnym, oraz przeżywać radość z tego, że w końcu sobie przypomniałam. Pierwszy raz gdy kochaliśmy się z Markiem na łonie natury, na wsi w Pikardii, nie wiedząc o tym, poczęliśmy nasze pierwsze dziecko. W tej samej chwili, gdy stłumiłam krzyk rozkoszy, bo kilka metrów dalej ludzie urządzili sobie piknik, rozległ się wystrzał ze strzelby. Chwilę później Marc, leżąc obok mnie, szepnął: „strzał w dziesiątkę…". Zaczęłam radośnie okładać go pięściami za tę obsceniczną uwagę, ciąg dalszy naszej miłości, a potem śmialiśmy się szczęśliwi z powodu naszej bezczelności, tacy młodzi, nieświadomi, zmęczeni i zadowoleni z tego zmęczenia… Wkrótce wszystko miało się zmienić. On miał być tatą, a ja mamą. Na zawsze. Cokolwiek nam się przydarzy, cokolwiek postanowimy. Te role, ta odpowiedzialność są już na zawsze, to przedłużenie nas samych, które zdradzało nas i zaskakiwało.

– Nie będę ci już dłużej przeszkadzać. Jadę, mam przed sobą długą drogę.

– Tak.

– Dziękuję.

– Ucałuj Christine.

Popatrzyłam wokół siebie, na plastikowy kanister, rower bez opon, pomarańczowe zasłony w nieruchomej przyczepie.

– Potrzebujesz czegoś? Mogę coś dla ciebie zrobić?

– Szukam mężczyzny.

– Mężczyzny?

– Nie lubię sama spać.

– Jasne… Jesteś bardzo ładna.

– Tylko te zęby.

– Nie widać.

– Nie?

– Pewnie, że nie.

– No więc miłego mężczyzny.

– Dobra. Miły mężczyzna.

– Bądź ostrożna.

*

Uścisnęłyśmy się i dość długo szłam, zanim doszłam do mojego samochodu, który rozgrzał się w słońcu do białości. Czułam się przyjemnie otępiona piwem i przed odjazdem przespałam się pod drzewem.

Kiedy gimnazjum Dominikanów było zamknięte, a my patrzyliśmy na nie z placu, wydawało się równie ciasne i nijakie jak jego drewniane drzwi. Jednak wewnątrz można się było poczuć samotnym i zagubionym, bo był to dawny klasztor o szerokich schodach z powybrzuszanymi stopniami, obdrapanych ścianach, otoczony starymi, chorymi platanami, bez prawdziwej sali gimnastycznej, z tureckimi toaletami o drzwiach z popękanego drewna, zawsze zamoczonymi i cuchnącymi. Chodziły tu ostatnie klasy podstawówki i gimnazjum, „jednopłciowe", w obowiązkowych mundurkach: różowych dla ostatniej podstawowej (którą nazywano „różyczkami"), niebieskich dla pierwszej gimnazjum, zielonych dla drugiej i brązowych dla trzeciej. Nasze spódniczki w kratkę zaledwie wystawały spod tych uniformów-bezrękawników, a my wyglądałyśmy w nich jak młode robotnice, które znalazły się w nieprzeznaczonym dla nich miejscu. Po czterech latach dziewczyny były na skraju załamania, a liceum Cézanne'a, do którego chodziły już tylko klasy licealne, położone przy wyjeździe z Aix u stóp lasku sosnowego, wydawało się nam wyzwoleniem od wszystkich smutnych godzin spędzonych w pracowni nauk przyrodniczych pachnącej formaliną, pracowni techniki i szycia, gdzie uczyłyśmy się robić na drutach buciki dla dzieci, od gimnastyki na żwirowych alejkach, smrodu zaimprowizowanych szatni, monotonii dni spędzanych tylko w towarzystwie dziewcząt w zniszczonych mundurkach, które latami przechodziły z siostry na siostrę jak starodawna litania, jak niekończące się znużenie. Nikt nikogo nie lubił, a nauczyciele wydawali się wiecznie zdumieni naszą ignorancją. Było dla nich zaskakujące, że mamy prawo uczestniczyć w ich lekcjach, chociaż uważali, że jesteśmy głupie. Otępiałe. Jedna podobna do drugiej. Uczyły nas tylko kobiety, nie trzeba tego mówić, z wyjątkiem jednego starego nauczyciela matematyki, który nas nienawidził. Nigdy nie powinien być w tym miejscu, by uczyć matematyki hałaśliwe, roztargnione nastolatki. Kiedyś był chemikiem. Jakiś eksperyment, który źle się skończył, przyprawił go o ślepotę. Często walił laską w podium, chciał, żeby się go bać, ledwo go znosiłyśmy. U jego boku zawsze była żona, sprawdzała obecność, pisała na tablicy, mówiła mu, która z nas zgłasza się do odpowiedzi. Gdyby nie był ślepy, nigdy nie mógłby być naszym nauczycielem. Tylko jego żona miała prawo widzieć te młode dziewczyny, rzucała nam krótkie, zażenowane spojrzenia, i nie można było stwierdzić, czy przeprasza za charakter swojego męża, czy za swoją obecność na podium wiedzy, ona, która nie miała żadnego dyplomu.

Większość tych nauczycieli dzisiaj z pewnością nie żyje albo zaraz umrze. Żaden z nich o nas nie pamięta. Żaden nie mógłby podać imienia którejkolwiek z nas. Byłyśmy czymś w rodzaju hordy różowych, niebieskich, zielonych i brązowych mundurków na ciałach nie do końca jeszcze uformowanych, młodymi dziewczętami, które przemijały, tak jak przemijają lata, szkolne wakacje, okres pracy i zmęczenie, zużyta skóra toreb z ciężkimi pracami nabrzmiałymi naszym pismem, zbędnymi poprawkami. Podniesione ręce, opuszczone twarze, kpiący śmiech, mściwe przezwiska, buty w źle zamkniętej torbie, zjełczały pot dni poprzedzających jesienne noce to byłyśmy my, stado kapryśnych dziewic, które nie wiedzą, że mogą być ładne, że mogą być błyskotliwe.

*

Liceum Cézanne'a też nie było koedukacyjne, ale na szczęście były tam klasy matematyczne, gdzie uczono tego przedmiotu na wyższym poziomie, mały kontyngent chłopców, którzy przygotowywali się do zawodu inżyniera, w towarzystwie kilku dziewcząt za bardzo zajętych nauką, by mogły być dla nas niebezpieczne. One miały niezłe głowy. My miałyśmy resztę. Byłyśmy bardziej zabawne, swobodne, całkowicie wolne. Jedyni chłopcy, jakich mogłyśmy spotkać przez te wszystkie lata żeńskiej szkoły, to byli albo koledzy starszych braci – w przypadku tych, które szczęśliwie miały starszych braci – albo sąsiedzi, w najgorszym wypadku kuzyni. Ale nikła obecność tych chłopców w naszym otoczeniu nie tłumaczyła niebywałego sukcesu Dario. Inni chłopcy byli szczęśliwi, że pośród tych wszystkich nastolatek mogą uchodzić za wyjątki, i to właśnie przez tę pełną satysfakcji radość stawali się tak mało atrakcyjni, byli przewidywalni i często niezręczni. Zdawali sprawozdania ze swoich podbojów, sporządzali ironiczne raporty, aby powetować swoje niezręczności, byli dla nas tylko przymusowym przystankiem, jak szczepionka, egzamin na kartę pływacką, i nigdy o nich nie marzyłyśmy. Nigdy nie doprowadzali nas do łez. Czułyśmy po prostu pewną ulgę, że „chodzimy" ze starszymi od nas chłopcami, przyszłymi inżynierami z centrum Cadarache, elitą Aix-en-Provence. Dzisiaj większość z nich wyprawia wesela swoim dzieciom i przygotowuje się do emerytury u boku kobiet pełnych żalu, że już od dawna nie są dla swych mężczyzn tymi, których pragną.

*

Przede wszystkim Dario zachował pamięć. W wieku siedemnastu lat żył w stałej bliskości ze swoim dzieciństwem, które przydawało mu blasku. Od zawsze był kochany. W przeciwieństwie do matematyków z liceum Cézanne'a szedł przez życie bez konkretnego celu. Jego matka powtarzała mu od pierwszego dnia, że dla niej samo jego istnienie jest cudem. Nie był wcześniakiem, nie był chory czy na cokolwiek skazany. Po prostu to, że ktoś taki jak on może istnieć, było darem niebios. I należało przyjąć go takim, jakim był, nie prosząc o wyjaśnienia. Z wszystkich nastolatków z Aix-en-Provence lat siedemdziesiątych tylko Dario trzydzieści lat później mógł zamieścić takie ogłoszenie i nawet przez sekundę nie wydawało mi się to ani niestosowne, ani zbędne. Miał wdzięk ludzi, którzy lubią żyć chwilą. Przemieszczać się, nie biegnąc. Wybuchać bez skrępowania śmiechem i nigdy nie popadać w desperację. I nie był to wynik żadnej filozofii, żadnej religii, nawet nie recepta na życie. Dario był po prostu, nawet o tym nie wiedząc, ucieleśnieniem tego, co w życiu najlepsze. A życie zapełniło całe brudnopisy dziejami synów, braci i kuzynów, mniej lub bardziej miłych, mniej lub bardziej inteligentnych, układnych i wysportowanych, ludzi, którzy próbują zrozumieć, co czytają, przynoszą ze szkoły oceny lepsze niż inni, i dziejami nieśmiałych dziewczyn, tych, które nawiązują jak najwięcej znajomości, po czym czekają na sygnał, ślub albo obóz żeglarski, aby przez kilka krótkich lat dawać z siebie to, co najlepsze, a potem zgasnąć, nawet o tym nie myśląc.

I gdy ktoś taki umawia się z tobą na *rendez-vous* na placu Dominikanów, przed twoim dawnym gimnazjum, naprzeciw więzienia i Pałacu Sprawiedliwości, nagle dostajesz to, czego ci do tej pory brakowało, bo w tym „*rendez-vous*", w tym słowie, którego nie tłumaczy się na inne języki, jest szczęście. Bo nagle rozumiesz, że ty też możesz być tym czymś najlepszym, co istnieje na świecie, a jeżeli twoja matka nigdy tego nie dostrzegła, to po prostu – trudno. Ty jednak wiesz o tym i powtarzasz to sobie, powtarzasz, aby mieć trochę mniejszą tremę przed spotkaniem, ale głównie dlatego, że ta świadomość wywołuje twój uśmiech, który cię nie opuści, jest jedyną rzeczą, jaka zostanie na zawsze na twojej twarzy. Gdy wszystko minie, straci blask, runie, będziesz wciąż się uśmiechać jak na pierwszym *rendez-vous*.

Tamtego dnia przed gimnazjum Dominikanów spotkało się jeszcze dwoje dobrych znajomych. Byłam jeszcze tą młodą niezdarną dziewczyną, której zmysłowość nieśmiało się budziła, przekonaną, że chce po prostu zrozumieć pewnego chłopaka. Nie wiedziała, że to, co w jej życiu najważniejsze, będzie zależało od tej randki. Miałam ciało dziewczynki, które na razie nie służyło mi do niczego. Bezużyteczne piersi w luźnym staniku, stopy w skarpetkach i związane włosy. Nie wiedziałam, że moje życie zawiera się w sylwetce tego chłopca tam na placu. Im bardziej się do niego zbliżałam, tym bardziej łączyłam się z tym, czym byłam: dziewczyną. „Jesteś tylko dziewczyną" – mówiły stare sztuki teatralne, czarno-białe filmy, w których „dziewczyna" brzmiało jak obelga, ale nawet tej obelgi chciałam. Czułam, że wibruję od uczuć, które nie mają nazw, śmiałych, gwałtownych wrażeń, tak gorących, że dusiłam się od nich. Czułam, że jestem prawdziwa. Moja randka była prawdziwa. Cały ten dzień był prawdziwy. A ja znajdowałam się w tym wszystkim, w środku. Nie przez przypadek, roztargnienie czy obowiązek. Istniałam w tym samym czasie co fontanny, markizy w słońcu, drzewa, kariatydy, a nawet kraty w więzieniu, blade stopnie Pałacu Sprawiedliwości, w tym samym czasie co sprzedawca cukierków i łakoci w swoim samochodzie, istniałam równocześnie ze wszystkim, współistniałam nawet z tymi, którzy stali na tym placu przede mną, ze zmarłymi w tym mieście, ze zgasłymi sercami, które budziły się, widząc, jak idę w stronę spokojnej, nieskończenie cierpliwej sylwetki Dario. Ich i moja droga łączyły się w miejscu, gdzie stał. Wszystkie czasy przeszłe, teraźniejsze i przyszłe łączyły się przy nim, było to przyciąganie chemiczne, duchowe, zabawne i oczywiste.

*

Gdy podeszłam do niego, do jego ledwie rysującego się uśmiechu, spuszczonych powiek, spod których wymykał się tylko mały błysk błękitu, do białych delikatnych rąk człowieka, który nigdy nie pracował, pochylonej twarzy, policzków różowych jak poranek, podeszłam do bijącego od niego zapachu cynamonu i ciepła, powiedziałam po prostu, bo była to jedyna rzecz, której wreszcie byłam pewna:

– To ja.

Uśmiechnął się ledwie dostrzegalnym uśmiechem, nie musiał przesadzać w ruchach, gestach, mimice twarzy, aby były one prawdziwe i odpowiednie. Miał w sobie odległy wdzięk florenckich obrazów, i wyczuwałam, że mężczyźni też go lubili. Był piękny jak światło. Przedmiot. Forma. Widząc go tego dnia na placu, pomyślałam od razu: *ragazzo**.

---

* *Ragazzo* (wł.) – chłopiec, chłopak.

I że to dla niego wymyślono to słowo. Był *ragazzo*. To nieco szorstkie określenie jest jednak otwarte, włoskie „o", które flirtuje z „a", trochę oszukuje, *ragazzo*, ten świst, naglące wołanie, *ragazzo, ragazzo...*

Ruch.

Oddech.

A wieczorem przy rodzinnym stole, w tej przedwojennej atmosferze, w świetle, które już zawsze będzie stare, w otoczeniu milczących ciał, gdy znów tam siadałam, znajdowałam się (teraz to wiem) obok siebie. Byłam własną dublerką, trochę statystką, mówiłam: „nauczycielka francuskiego chciałaby się z tobą spotkać" albo: „tak, jeśli chcesz, posłuchamy Claude'a François", „czy to prawda, że żywe kolory na skrzydłach motyli są toksyczne?". I odpowiadano mi: „nie mów, że znów gadałaś z Gisèle Pinsard", „to pokażesz mi krok Claudette?" albo: „Żeby być precyzyjnym, trzeba powiedzieć »motyli dziennych«. Oczywiście, że żywe kolory są toksyczne".

Teraz wiedziałam, że mam wybór. Że nie trzeba przez cały czas być smutnym chrześcijaninem. Stale gotowym do umierania, by móc się przekonać, że Bóg nie kłamał, że „królestwo Jego nie jest z tego świata", jak mówi Pismo.

*

Z placu Dominikanów po prostu poszliśmy z Dario przez miasto. Chciał mi pokazać miejsca, które lubił. Poczułam się wybrana. Gdyby mi chciał pokazać wszystko to, co wzbudzało jego wstręt, byłoby tak samo, w każdym razie byłam uprzywilejowana.

To, co mu się w mieście podobało, z pewnością nie znalazło się w żadnym przewodniku. Plac Albertas i jego fontanna, promenada Mirabeau i jej kawiarenki, starówka Aix i pejzaże Cézanne'a to były nazwy ogólne, miejsca stworzone po to, by mogły się podobać jak największej liczbie ludzi, a Dario był stworzeniem wyjątkowym. Lubił to, co ogląda się po kryjomu, miasto było dla niego teatrem, w którym zaledwie unosił kurtynę, ale widział wszystko. A gdybym miała powiedzieć, o czym myślał... Nie wygłaszał wielu opinii. Nie miał zdania na każdy temat jak większość nastolatków, nie był z tych, którzy chodzą w bandach po ulicach, skandując wulgarne slogany. Nie miał ani idola, ani mistrza, o którym mógłby myśleć, ani wszystkich tych rzeczy, które w wieku piętnastu lat uważa się za zasadnicze, a które wprawiają nas w zachwyt, lecz później zapomina się o nich, nie mając nawet czasu ich zanegować.

*

Przez nisko umieszczone okno na jakimś podwórku przez pewien czas przyglądaliśmy się ćwiczącym karatekom. Byli masywni, nie mieli oporów, by wydawać krótkie, głośne okrzyki, i zwalali się na cienkie maty, które nie amortyzowały ich upadków. Czasem któryś spoglądał w naszą stronę, podchodził uścisnąć dłoń Dario i wracał na matę, aby dalej upadać. Nigdy się nie dowiedziałam, czy Dario uprawiał tę dyscyplinę, czy widział już wcześniej tych chłopców, czułam tylko, że nawiązał się między nimi ten dziwny pakt,

porozumienie, które łączy ludzi skupionych i nieco milczących, całkowicie skoncentrowanych na ciszy.

Potem szliśmy po wąskich, ciemnych schodach w zmur-
szałej, wilgotnej kamienicy i znaleźliśmy się w mieszkaniu
starej kobiety, chudej i powykrzywianej, która pocałowała
Dario zapadniętymi wargami, poczęstowała nas biszkoptem,
po czym pożegnała się z nami. Nie okazała ani zdziwienia,
ani prawdziwej radości z tego, że nas widzi. Na progu Dario
nachylił się do niej i mówił coś bardzo cicho mieszaniną
włoskiego i oksytańskiego albo w jakimś dialekcie. Wyglądało na to, że stara kobieta się na coś zgadza, kiwała głową,
uśmiechając się, ale nie potrafiłabym powiedzieć, czy powstrzymuje śmiech, czy się martwi, wyraz tej twarzy nazna-
czonej zmarszczkami nie był jednoznaczny.

Biszkopt wzbudzał mój wstręt. Stara kobieta wzbudzała
mój wstręt. Zapach jej mieszkania, jedynego pokoju w stylu
Zoli, przeraził mnie. Nie miałam pojęcia, jakie więzy łączyły
ją z Dario, a on nic mi nie tłumaczył. Nie wiedziałam wtedy,
jak bardzo w swojej lekkiej nonszalancji był uważny w stosunku do innych. Uważny i ciekawy. Potrafił skrycie cieszyć
się ich losem, ale bywał też nim zdruzgotany.

Po wizycie u staruszki, bez dalszych wyjaśnień, Dario
zechciał iść do sprzedawcy płyt w górnej części promenady
Mirabeau. Poprosił o nokturny Chopina, facet powiedział:
„dwójka", a my poszliśmy usiąść w kabinie. Bałam się, że
Dario zapyta mnie, czy lubię Chopina, czy nie wolę Brahmsa
albo Bacha, bałam się, że zapyta, co myślę o nokturnach, a ja
nie miałam pojęcia o muzyce klasycznej. Nic nie mówił.
Siedzieliśmy w tej kabinie, w której czuć było zapach drewna
i kolejki elektrycznej, a miasto wokół nas było pogrążone
w ciszy. Znajdowaliśmy się w sercu czystego dźwięku. Pianino wydawało mi się czasem nieśmiałe, gotowe, by wybuchnąć, ale dyskretne, a potem nagle porywcze, zachwycające.

Nie czułam się spokojna, wszystko mnie zaskakiwało, nie potrafiłam poddać się nastrojowi, nie byłam pewna swych uczuć. Dario oparł głowę o ścianę pokrytą pikowaną tkaniną, czasem się do mnie uśmiechał, zastanawiałam się, czy pocałowałby dziewczynę w kabinie, gdybym to nie była ja. Też się do niego uśmiechałam i czułam, że w tym uśmiechu jest żal, że w chwili, którą właśnie przeżywamy, jest coś efemerycznego. Wkrótce trzeba będzie wyjść. Znów usłyszeć głosy, które mówią byle co, głupie polecenia, banalne nowiny, i zobaczyć, jak niewielką uwagą obdarzają się wszyscy nawzajem. Wkrótce znajdę się w zbyt ciasnym mieszkaniu, gdzie wszystkie wieczory są do siebie podobne, moje miejsce jest wąskie jak wysokie krzesełko dziecięce, gdzie od szesnastu lat mówiono do mnie w ten sam sposób, rodzice kształcili mnie, nie wychowując, wygłaszali pod moim adresem głupoty, które sami usłyszeli od swoich rodziców, i mieli nadzieję włożyć mi do głowy, żebym potem przekazywała je dalej moim dzieciom siedzącym na wysokim krzesełku. Kto pokazał Dario Chopina? Byłam ciekawa, jak to jest – być nim i jako on wrócić do domu, i być może co wieczór spotykać tę pełną zachwytu matkę? Nie bała się, że go rozpieści. Nigdy nie pomyślała, że delikatność go zepsuje i będzie jak cierpki owoc. Że z powodu muzyki poważnej będzie rozkojarzony, bo nigdy nie mówiła „rozkojarzony". Mówiła „marzyciel". Na pewno. I nie pytała: „Co? Co ty sobie wyobrażasz?", jak się pyta dzieci przyłapane na gorącym uczynku.

*

Minęło popołudnie, wiedziałam, że zapada wieczór, podczas gdy my słuchaliśmy Chopina w kabinie bez okien, i ten wieczór, kiedy nie było nas w mieście, powodował, że stawało się ono jeszcze bardziej obce. Nie rozumiałam tego, co przeżywam, ale wiedziałam, że to pierwszy raz. Mogłabym powiedzieć: „pierwszy raz, gdy byłam sama z chłopakiem", „pierwszy raz z Chopinem", „pierwszy raz w sklepie z płytami". Ale nic z tego nie byłoby do końca prawdą. Chodziło o coś większego niż chwila. Bardziej niepokojącego niż sam na sam z chłopakiem. Czułam świat naokoło, wszystko było bardzo blisko: inni klienci, samochody na promenadzie Mirabeau, telefon w sklepie, drzwi, kroki, to wszystko, na co byliśmy głusi. Wiedziałam, przed czym umykam. Albo się chowam. A nas, Dario i mnie, łączyło pewne słowo, którego jeszcze nie znałam, oddzielając nas od innych.

Później dowiedziałam się, co to za słowo. „Intymność". Prawie jak „nieśmiałość". I jedno, i drugie wymaga prawie tej samej łagodności, cierpliwości. A potem je straciłam, nie wiedząc o tym, przez roztrzepanie...

Minąwszy Lyon, znalazłam mały hotel w jakiejś bezbarwnej mieścinie rzuconej gdzieś między autostradę a pola, bez żadnego uroku. Główną ulicą jeździły brudne ciężarówki, a na jej poboczu wydzielono pas, na którym posadzono drzewa, ale nie wyrosły, ich pnie wyglądały jak biedne, zaniedbane badyle, w końcu porzucone. Był deptak i sklepy, podobne do wszystkich sklepów z deptaków, z niedrogimi ubraniami, źle wykończonymi ozdobami z Maroka i Indii, McDonald, kiosk. Ulicą przechadzały się grupki młodzieży wystylizowanej mniej lub bardziej na gotyk, próbując zwrócić na siebie uwagę przechodniów, którzy nie byli nimi w ogóle zainteresowani. Mężczyzna w nieokreślonym wieku śpiewał i grał na gitarze *Je l'aime à mourir** i wydawał się równie obojętny na słowa piosenki, co na brak drobnych w podartym kapeluszu u stóp. Od czasu do czasu przechodziły razem dwie lub trzy starsze kobiety, z makijażem, trwałą, dziwnie eleganckie w tym wyluzowanym mieście. Na

---

* *Je l'aime à mourir* (Kocham ją na zabój) – tytuł piosenki Francisa Cabrela.

pewno tu się urodziły. Tu dorosły i wyszły za mąż. Były wdowami po notariuszu, lekarzu, aptekarzu, zarządcy hotelu. A teraz, gdy miasto nie miało już ani dobrej prezencji, ani ambicji, wyglądały niestosownie, nie na miejscu, one, które kiedyś ucieleśniały to, co miasto miało najlepszego. Kiedyś można było chełpić się zaproszeniem do ich stołu, cieszyć się, że się je zna, czasem nawet że jest się z nimi na ty i uczy się ich dzieci jeździectwa albo gry na skrzypcach. Ale upłynęło dużo czasu. Miasto zostało zapomniane. Teraz przyjeżdżało się tu przez przypadek, przez pomyłkę, i wyjeżdżało ze zdziwieniem, że po opuszczeniu go istnieje jeszcze. Ile jest podobnych miejsc między Paryżem a Genuą? Ile śmiertelnie spokojnych miasteczek, przez które przejeżdżają konwoje z radioaktywnymi odpadami i przechodzą linie pociągów TGV, zamkniętych w sobie jak w czasie okupacji, ile zagubionych miasteczek, z których dzieci wyjeżdżają, nie mając nigdy odwagi się przyznać, skąd pochodzą?

Zastanawiałam się, co robi Marc, teraz, gdy już na mnie nie czeka. Czy długo rozmawiał przez telefon z dziewczętami? Czy któraś z nich, pod naciskiem dwóch pozostałych, przyjechała się z nim zobaczyć? Zoé, nasza najstarsza córka, ma dwadzieścia trzy lata i mieszka w Marsylii z niedojrzałym człowiekiem, który zawsze mówi do niej tak, jakby się spóźniła. Dyszy i wzdycha, unosi oczy do nieba, a potem uśmiecha się z pobłażliwością kogoś, kto wszystko zniesie. Sam ma dość siebie i przenosi na nią irytację swoim życiem, które musi prowadzić w cierpieniu, dorywczo i nie skarżąc się, jak ktoś, kto chodzi w za małych butach. A Zoé tłumaczy się przed nim, robiąc dziecięce miny, zagryza usta, nawija sobie włosy na palec, reaguje krótkim, nerwowym śmiechem, który wybucha jak powstrzymywany szloch. Rzuciła studia psychologiczne i sprzedaje fantazyjną biżuterię w sklepie na ulicy Saint Ferréol, który z pewnością niedługo się zwinie i wtedy będzie pracować na zastępstwo w sklepie z T-shirtami, bo zna jego właścicielkę, pije z nią czasem kawę w czasie przerwy na obiad, albo w centrali telefonicznej hotelu naprzeciwko portu. Będą ją tam podrywać różni akwizytorzy, których na jej miejscu bym znienawidziła. Jest zamkniętym w sobie skarbem. Ukrywa się, powstrzymuje, przerażona własną mocą i gwałtownością, tym, że mogłaby wywrócić świat do góry nogami. Ten mężczyzna, z którym żyje, jest jej balustradą, myśli zapewne, tym, kto ją uspokaja. Tym, kto ją zabija. Zoé jest hałaśliwym stworzeniem, które nakazuje sobie milczeć. Szaleńcem, który nakazuje sobie sen. Pewnego dnia zrobi to, co robią wszyscy, którzy powiedzieli „tak". Wyjedzie daleko i o wszystkim od razu zapomni, o sklepiku z fantazyjną biżuterią, koleżance od T-shirtów, twarzy człowieka, z którym żyła, zapachu Marsylii, kolorze słońca na morzu. Zapomni też o nadchodzącej wieczorem chandrze, pod wpływem której wałęsamy się po starym porcie, mówiąc sobie, że nigdy nie wyjechaliśmy.

Pamiętam Zoé małą. Ogromne oczy. Małe, spiczaste ząbki widoczne w bezustannym śmiechu, fantazje, wymysły, piosenki, świat w stanie wrzenia. „Kula rtęci", mówiła o niej dyrektorka żłobka. Kiedy i dlaczego przestała nią być?

*

Pauline urodziła się rok po Zoé. Studiuje malarstwo i ma wyrzuty sumienia, jak ktoś, kto wie, że nie jest uzdolniony, ale nie przyznaje się do tego przed sobą. I ciągnie studia z dumy, że się na nie dostała. Nigdy nie mówi „maluję", tylko „dostałam się do Akademii Sztuk Pięknych". Mieszka w maleńkim dwupokojowym mieszkanku z przyjaciółką, która pracuje w agencji nieruchomości i buduje jej alibi jako artystki, bo Pauline ją szkicuje, maluje jej sylwetkę na rozpoczynanych obrazach, a ta współlokatorka ją pyta, czy będzie o niej pamiętała, gdy już będzie sławna. Chciałabym jej powiedzieć, że ma inne dary, że nie szkodzi, iż się pomyliła, chciałabym ją uprzedzić, zanim będzie za późno i okaże się, że jako jedyna ze swojego roku „nie żyje z tego", jak to się mówi, bo „nie żyć z tego" będzie dla niej znaczyło „umrzeć na to". Chciałabym porozmawiać z moimi córkami, Zoé, Pauline, a także Jeanne, która mieszka w Londynie. Chciałabym trzymać je w ramionach, żeby zrozumiały, że wiem o nich dużo, że mężczyźni, którzy źle je kochają, to przechodnie, których należy unikać. Chciałabym im powiedzieć, że mają prawo do tego co najlepsze, zasługują na to, co zapiera dech w piersiach, na szaleństwo. Chciałabym, żeby wiedziały, że są najpiękniejsze z bogów, są obietnicą ludzi, i żeby wierzyły w słowa matek, które traktują swoje dzieci jak wyjątkowe cuda. Chciałabym opowiedzieć im o Dario, o tym pierwszym razie, gdy pojechałam do niego, na wieś pod Aix-en-Provence, która jeszcze oddychała nierozbita uderzeniami motyk, tonami betonu, na wieś ukrytą za wielkimi piniami, których kolce, leżąc na ziemi, czekały na ogień. Ale wtedy być może zapytałyby mnie, dlaczego nie poszłam za tym człowiekiem albo dlaczego nie zabrał mnie z sobą.

– Zoé, tu mama.

Cisza.

– Zoé, słyszysz mnie? Tu mama.

– No tak, słyszę cię. Gdzie jesteś?

– Niedaleko Lyonu. Jadę do Włoch.

– Wiem.

– Marc ci powiedział. Jadę do przyjaciółki.

– Tak.

– Myślę, że mi nie wierzy.

– Mamo, nie chodzi o to, czy ci wierzymy czy nie, chcie-
libyśmy tylko wiedzieć, co się dzieje. To była wasza dwudziesta piąta rocznica ślubu! Cholera, uważasz, że tata na to za-
służył? Dwadzieścia pięć lat!

– Dwadzieścia pięć lat czy nie, musiałam wyjechać, to
wszystko.

– Opuszczasz tatę?

– Oczywiście, że nie! Co za pomysł!

Usłyszałam, że płacze, a potem się rozłączyła. Zmartwiłam
ją. Wszystkim przysparzałam zmartwień. To niewiarygodne,

jak często człowiek czuje się samotny, codziennie, żeby być tak całkowicie szczerym, i jak nawet najmniejsza nasza decyzja odbija się na innych. Gdzie oni byli, gdy czułam się niepotrzebna, zupełnie pusta, gdy wszystko wydawało mi się tak bardzo powierzchowne jak jeden długi ciąg obowiązków, które musiałam wypełniać od rana do wieczora? Zadzwoniłam jeszcze raz.

*

– Zoé, posłuchaj, nie odkładaj tak słuchawki… przykro mi… nie myślałam, że moja podróż do Włoch wywoła taki dramat!
– Nie bądź hipokrytką, bardzo dobrze wiedziałaś, co robisz, zostawiając tak tatę w waszą rocznicę, wieczorem. Zostawiłaś wszystko w domu przygotowane, nie? Czy to nie dziwne? Wyobrażasz sobie, żeby on zrobił ci coś takiego? Co? Wyobrażasz sobie, żeby on ci tak zrobił?
– OK. Kończę, jestem zmęczona…

*

Teraz ja się rozłączyłam. To był telefon po nic, tylko po to, żeby zrobić sobie przykrość, trochę bardziej wszystko zagmatwać. To, w jaki sposób moje córki broniły swojego ojca… To, jak sobie pozwalały, mieszały się do naszego życia, jakby od zawsze były naszymi sędziami, jakbyśmy czekali, aż się narodzą, żeby podzielić się na obozy i zdecydować o regułach. Ta szalona miłość, jaką się czuje do dzieci, a potem nagle ta wypływająca z trzewi potrzeba, żeby się od nich oddzielić, ze strachem, że to widać. Czekamy, aż przejdzie, bo to zawsze przechodzi, wiemy o tym, a to, co wypływa na wierzch, to nieracjonalne przywiązanie, nasza zwierzęca część.

Brakowało mi telefonu komórkowego. Chciałabym wysłać Zoé kilka słów, od zawsze miałyśmy taką zasadę, żeby nie rozstawać się w gniewie. Często zresztą duma i smutek mieszały się z sobą w taki sposób, że trzeba było woli graniczącej z bólem, aby zdobyć się na pojednanie, choćby nieśmiałe albo na odległość.

Wyszłam, aby ochłonąć z gniewu, obejrzałam wystawy sklepów przy deptaku, gdzie po śmiesznie niskich cenach wyprzedawano spódnice z falbankami i torby z brązowego skaju. Myślałam o tym człowieku, który kochał Zoé złą miłością, który nie pocieszy mojej córki w smutku i powie, że jej matka jest kobietą nieodpowiedzialną. Myśląc, że to woda na jego młyn, zniechęci ją tylko do siebie, bo gdy się kłóciłyśmy, Zoé oczekiwała od innych, że wysłuchają jej zarzutów do końca, a potem utwierdzą ją w przekonaniu, że kocham ją najbardziej na świecie i że spór nie potrwa długo.

Znalazłam numer Zoé dzięki komputerowi hotelowemu. Mogłam przeczytać e-maile. Nie zrobiłam tego. Mogłam napisać do Marca. Do Pauline. Do Jeanne. Mogłam wrócić do domu. Mogłam poprosić Marca, żeby do mnie przyjechał. Mogłam zrobić tyle rzeczy, które by mnie odciągnęły od mojej egoistycznej i najważniejszej z wszystkiego podróży.

Usiadłam w ogródku jakiejś kawiarni na deptaku. Mężczyzna wył teraz dosłownie „*Je l'aime à mouriiiir*", a ja pomyślałam: „no to się zabij!". Byłam zła, uważałam, że to miasto nie jest warte, by leżeć na drodze mojej podróży. Patrzyłam na przechodniów. Wyglądali tak, jakby do miasta miał przyjechać karykaturzysta, aby wybrać bohatera swojego następnego komiksu, a oni dobrze się przygotowali do jego przyjazdu. Niektórzy byli bardzo wysocy, nieco przygarbieni, z za dużymi nosami, uginali się niczym topole na wietrze. Inni wydawali się skuleni w pozycji embrionalnej, z której nigdy się całkowicie nie rozprostowali, jak gdyby zaraz mieli przykucnąć, garbaci, zawstydzeni. Jeszcze inni, przeciwnie, dumnie obnosili swoje okrągłe kształty, piersi, brzuchy, które wypychali przed siebie jak trofea. Oni właśnie mówili głośno, bo ulica należała do nich, byli markizami Carabasami* tych opustoszałych ziem.

---

* Markiz de Carabas – barwna postać z powieści *Nigdziebądź* Neila Gaimana. Mieszkaniec na wpół realnego świata niewidocznego dla ludzi.

– I myślisz, że ci uwierzę?

– Tak.

Lekko się obróciłam. Za mną siedziała para. Dwaj czterdziestoletni mężczyźni mówiący tak cicho, jak tylko mogli, z napięciem w głosie.

– Już nie mogę... Nie. Naprawdę, no już nie mogę...

Głos mężczyzny był łagodny, ale mówił on z trudem jak ktoś spragniony. Drugi zapytał:

– Więc co robimy?

– Nie wiem...

Zapadła długa cisza. Uliczny śpiewak kłócił się teraz z żonglerem, który, o ile mogłam zrozumieć, chciał go spławić. „I tak nic nie zarabiasz!", mówił.

– Nie mogę już tak żyć.

Głos dwóch mężczyzn za mną brzmiał tak, jakby wydobywał się z wody, wynurzał z odległego snu.

– Dlaczego mi nie wierzysz? Byłoby prościej, gdybyś mi uwierzył.

– Tak, byłoby prościej, gdybym ci uwierzył.

Obok mnie usiedli młodzi rodzice z wózkiem. Wózek nie mieścił się między stolikami, a oni z obojętnością uderzali nim we wszystko, co stało na ich drodze. W wózku spało dziecko z lepką twarzą, jak gdyby jadło watę cukrową albo rozgniotło sobie na twarzy lizaka.

– Obudź je – powiedział ojciec.

– Nie, chcę spokojnie wypić piwo.

Ojciec westchnął. Potem zamówił dwa piwa z beczki u kelnera, który był jego kolegą, i zaczęli z sobą rozmawiać, jak gdyby kobiety tam w ogóle nie było albo jakby spała, tak jak dziecko.

– O której kończysz? – zapytał tata.

– O dwudziestej.

– Super, to spotkamy się w Blue Bar?

– Będzie Tristan.

– Ach tak?

– No.

– Będzie Tristan?

– Tak.

– Bomba!

Jeden z mężczyzn siedzących za mną powstrzymywał łzy. Powtarzał cicho: „ale nie mogę, nie mogę ci uwierzyć!", a drugi łagodnie wzdychał. Na pewno go zdradził... Oszukał go, wolał kogoś innego, wolał spędzić z kimś jakąś godzinę, jakąś noc...

– Stoję tu i nie ruszę się stąd!

Uliczny śpiewak był teraz purpurowy na twarzy, zabawnie się złościł, a żongler stanął nieruchomo naprzeciw niego i zaczął podrzucać piłeczki. Śpiewak rzucił się na niego, piłki potoczyły się po asfalcie.

– Tym gorzej dla ciebie, jeżeli go nie obudzisz, po prostu nie będzie spał w nocy, i tyle – mówił ojciec, gdy jego kolega kelner już odszedł.

– A co cię to obchodzi? I tak przez całą noc będziesz pił w Blue Bar z tym łajdakiem Tristanem.

– Odwal się od Tristana! Uważaj, odwal się od moich kolegów! Koledzy to świętość! Uważaj!

Kobieta wzruszyła ramionami i wypiła piwo, patrząc na dzidziusia w wózku. Sprawiała wrażenie, jak gdyby widziała dziecko po raz pierwszy i go nie rozpoznawała, tak bardzo wydawała się zdziwiona jego obecnością.

– Kocham cię – powiedział siedzący za mną mężczyzna, który zdradził. I jeszcze: – Nie, nie płacz tutaj.

Teraz we trzech kłócili się o swój kawałek chodnika, do żonglera i śpiewaka dołączył jeszcze młody chłopak, który na zużytym sznurze trzymał jak na smyczy dwa owczarki niemieckie. Miał postawione na irokeza zielone włosy i uszy poprzekłuwane wieloma kolczykami. Patrzyłam na tych trzech chłopców i zastanawiałam się, gdzie są ich matki. Czy wiedziały, że ich synowie zarabiają na ulicy? Czy same też zarabiały na ulicy? Czy jeszcze żyły?

– Ulica jest dla wszystkich! – mówił typ z psami do dwóch pozostałych. Zdawało się, że nikt ich nie słyszy ani nie widzi.

– Wyjedziemy. Do Paryża – powiedział mężczyzna za mną.

– Nie zaczynaj od nowa.

– Przecież nie będziemy się cały czas ukrywać? Nie będziemy dalej tak żyć?

– W Paryżu będzie jeszcze gorzej. Dalej mnie będziesz zdradzał. Częściej. Bardziej otwarcie.

– Wyjedziemy do Paryża.

– Zgoda.

– Co powiedziałeś?

– Powiedziałem zgoda.

– Pocałuj mnie.

– Co?

– Pocałuj mnie na oczach wszystkich. Skoro wyjeżdżamy, to już wszystko jedno.

Nie patrzyłam na nich. Byłam szczęśliwa i naprawdę nie wiedziałam dlaczego. Byłam bardzo szczęśliwa.

– Słowo daję, Christine, on nie umiał mówić!

– W ogóle?

– Ani słowa. Nic.

– No to jak mówił: „jestem głodny"?

– Robił taki ruch, widzisz, masował się ręką po brzuchu, i wtedy jego mama rozumiała, że jest głodny.

– Mówił: „dziękuję"?

– Christine! Mike Brant nie mówił, był niemy!

– No to jak śpiewał?

– Starał się i się nauczył! Tak jak ty powinnaś się starać, żeby nauczyć się czytać, bo jeżeli nauczysz się czytać, będziesz mogła żyć jak inni, naprawdę, jak inni.

– Będę czytała książki?

– Tak.

– Będę czytała listy?

– Ależ tak!

– Będę miała męża?

– Czemu nie? Tak…

To wtedy weszła moja matka, żeby dać mi w twarz. Christine rozpłakała się zamiast mnie, a matka, żeby ją pocieszyć, wyjaśniła, że jeśli pewnego dnia będzie miała męża, to urodzi potworki, więc nie powinna nigdy zbliżać się do żadnego chłopaka. Christine długo pozostał ten strach przed potworami w jej brzuchu i wszystkie moje wysiłki, aby nauczyć ją czytać, spełzły na niczym. Czasem mama patrzyła na Christine i wzdychała do swoich przyjaciółek: „to podpora mojej starości", bo łatwo było sprawić, by nigdy nie przekroczyła wieku ośmiu lat, aby nie urosła, wystarczyło zamknąć jej oczy na pewne rzeczy. Tak, łatwo było zrobić z niej naiwną towarzyszkę życia.

To był ostatni policzek. Miałam piętnaście lat i wiedziałam, że następnym razem oddam. Moja mama też musiała to wiedzieć, bo więcej nie próbowała. Ona i ja nie dotykałyśmy się, patrzyłyśmy tylko na siebie. Miała na mnie oko, jak mówiła, a ja uważałam raczej, że nie ma do mnie serca, i wiedziałam dlaczego. Przestraszyłam ją. Bała się przez dziewięć długich miesięcy. Po Christine przyrzekła sobie, że nie będzie miała więcej dzieci. Po Christine bała się wszystkiego, a przede wszystkim siebie samej, odrazy, którą w sobie miała i próbowała ją poprzez modlitwy i spowiedź przekształcić w miłość macierzyńską. Ale nie było rady, potwory ukrywały się właśnie w jej brzuchu.

Słuchając, jak moi rodzice szeptem kłócą się za zbyt cienką ścianą pomiędzy naszymi pokojami, odtworzyłam wspaniałą historię ich miłości. Mój dziadek ze strony mamy na łożu śmierci podjął ostatnie przedsięwzięcie swego życia: kazał mojemu ojcu przyrzec, że poślubi „jego małą Anne--Marie" – wtedy on sam będzie mógł odejść w spokoju, a ona zapomni o swoich zachciankach. Anne-Marie, moja matka, miała dwanaście lat mniej niż Bertrand, mój ojciec, i kochała chłopaka w swoim wieku, który też ją kochał, ale był protestantem. Lepiej by było dla niego, gdyby był komunistą, mógłby tłumaczyć się, że został wciągnięty do wojska. Ale protestantyzm przechodzi z pokolenia na pokolenie i nie tak łatwo się od niego uwolnić. Młodemu mężczyźnie zaproponowano nawrócenie, co on natychmiast zaakceptował, lecz wtedy właśnie jego rodzice wyrzucili go z domu, wcześniej wydziedziczając. Bertrand, tuż przed śmiercią mojego dziadka i osiągnięciem dojrzałości przez Anne-Marie, przyrzekł z ręką na sercu i łzą w oku, że tak, poślubi małą, a ślub będzie tradycyjny, katolicki.

Co też nastąpiło.

Dziewięć miesięcy później urodziła się Christine. Często gdy rodzice mieli już siebie dość i wspominali o dziecku, słyszałam, jak ojciec mówi z wściekłością do mamy: „nie zapominaj o oknie". Moja matka milkła wtedy od razu, nigdy nie zrozumiałam dlaczego.

Urodziłam się trzy lata po Christine, trzy długie lata, w trakcie których rodzina uważała moją matkę za naprawdę złą chrześcijankę, a mojego ojca za świętego, który musiał „wziąć ją pod swoje skrzydła", jak mówił jego brat, zapalając cygaro.

Nie znosiłam swojej matki aż do dnia, gdy sama urodziłam pierwsze dziecko. Poród trwał dwanaście godzin i przysporzył mi tylu cierpień, od których byłam nieprzytomna, prawie mdlałam, chciałam umrzeć, byle to się już skończyło, że nagle pomyślałam o niej, o wszystkich kobietach, które w przeciwieństwie do mnie nie pragnęły dziecka, nie pragnęły ojca dziecka. Skąd brały siły, aby urodzić?

Pomyślałam o mojej matce, gdy miała dwadzieścia lat, stojącej w pokoju z zaciągniętymi zasłonami, jej umierającym ojcu i wielkim Bertrandzie – tym trzydziestodwuletnim staruchu, który nigdy nikogo nie pociągał, a wkrótce będzie miał prawo do niej – patrzącym pod światło na jej dziewiczą sylwetkę. Tego dnia życie mojej matki się zatrzymało, a moje było w drodze. Wyrosłam na jej nieszczęściu.

Po narodzinach Christine mama zasłoniła się przed światem religią jak uniesionym ponad twarzą ramieniem, które wszystko zasłania i ma nas ochronić. Szła ślepo naprzód „ścieżką pełną światła", jak mówią święte teksty.

Mój ojciec z rezygnacją pogodził się z tym, że żadna kobieta nigdy go nie kochała. Jako akwizytor sprzedawał *Encyklopedię Universalis* i kolekcjonował motyle. Przed Bożym Narodzeniem brał udział w konkursie na najładniejszą szopkę, a na wiosnę – na najbardziej kwiecisty balkon, i nigdy nie wygrywał. Zawsze pomagał starszym przejść przez ulicę i zabierał głos na zebraniach wspólnoty mieszkaniowej, można było też na niego liczyć przy okazji kwest Czerwonego Krzyża.

Wieczorem poszłam coś zjeść do baru przy dworcu. Od chwili gdy byłam świadkiem rozmowy pary homoseksualistów, ich cierpienia i pojednania, gdy dowiedziałam się o ich wyjeździe, do którego – jak sądziłam – właśnie się przygotowywali, wiedziałam, że w tym miasteczku rozgrywa się więcej historii, niż mogłam sobie wyobrazić. Sekretne miłości, fatalne spotkania, grożące wybuchem drobne zdarzenia rozgrywające się w maleńkich kuchniach oświetlonych lampą neonową, uporządkowane garaże, pełno mężczyzn gotowych umrzeć za jakąś błahostkę na zapalenie oskrzeli, z powodu rozpaczy, ataku szaleństwa, świat się wali, słychać głosy, przestajemy się rozpoznawać… Kobieta przystaje na to, by otworzyć butelkę wina…

*

Po powrocie do pokoju znów zadzwoniłam do Zoé.
Od razu odebrała, w tle usłyszałam telewizor.
– Zoé, przykro mi, jeżeli cię zmartwiłam.

– Nie, to ja przepraszam, w końcu ta historia mnie nie dotyczy.

Głośno westchnęła, z telewizora leciała na cały głos muzyka, a potem przerażające krzyki, długie niekończące się kobiece wycie.

– Nie mogłabyś gdzieś wyjść, żeby spokojnie porozmawiać?

– Nasze mieszkanie jest bardzo małe.

– No tak...

– Chyba przestanę sprzedawać biżuterię.

– No jasne.

– Dostałam inną propozycję.

– T-shirty?

– Słucham?

– Pytałam, czy będziesz sprzedawać T-shirty.

Zaległa dziwna cisza, po czym zapytała:

– Gdzie już jesteś?

– W okolicy Lyonu.

– Boisz się?

– Co masz na myśli?

– Nic.

– Pytasz mnie, czy się boję? Ale czego? Czego miałabym się bać?

– Tego, co zamierzasz zrobić.

Z telewizora znów zaczęły dochodzić krzyki kobiet, tym razem urozmaicone wystrzałami.

– Przykro mi – powiedziała znów Zoé. – Nie mogę wyjść.

– Jadę do przyjaciółki do Genui.

– Co jej jest, tej przyjaciółce?

– Chyba jest chora.

– Umrze?

– Nie wiem.

– Dlaczego tak wolno? Dlaczego zatrzymujesz się po drodze, chyba w Genui jest lotnisko, nie? Mogłaś polecieć samolotem.

– Samolotem?

– Albo pojechać pociągiem.

– Wiem… nie pomyślałam o tym.

– Dziwne.

– Mam ochotę po drodze zobaczyć się z Christine.

– Z Christine, twoją siostrą?

– Tak. Wiesz, w tym domu, niedaleko Venelles.

– To dlatego wzięłaś samochód? Chcesz porozmawiać z Christine, ona też zna tę przyjaciółkę?

– Tak… ona też zna tę przyjaciółkę, wiesz, to była przyjaciółka… miałam szesnaście lat, zdajesz sobie sprawę? Ta przyjaciółka…

– Jak się nazywa?

– Co? Nazywa się… nazywa się… Cristina.

– Hm, to zabawne…

– Co?

– Christine. Cristina. Naprawdę myślisz, że ci uwierzę? Myślisz, że cię nie znam, mamo?

– Miałam szesnaście lat, to było w Aix, była ta dziewczyna, z Genui, i kiedy ją spotkałam, to było tak, jakbym wyszła z więzienia, już odsiedziała karę i o wszystkim zapomniała, nie było już ani ciepła, ani zimna, jak gdybym nie miała skóry, marzeń, nic.

– Rozumiem.

Nagle telewizor zamilkł. Teraz gdy jej przyjaciel mógł wszystko usłyszeć, jeszcze trudniej było rozmawiać.

– Myślisz, że kiedy będziesz w Venelles?

– Jutro.

– Będę musiała kończyć.

– Zoé?

– No?

– Widziałam dzisiaj ludzi… dwóch niezwykłych kochanków.

– Dlaczego niezwykłych?

– Byli równocześnie bardzo smutni i bardzo szczęśliwi, rozumiesz?

Na chwilę zaległa cisza, a potem Zoé powiedziała bardzo cicho:

– Śpij dobrze, mamo.

– Całuję cię, mój kurczaczku.

*

Wolałam nie wyobrażać sobie mojej córki w tym maleńkim mieszkanku w Marsylii, z mężczyzną, który nie zauważy, że jest smutna. Ten mężczyzna głośno mył zęby i odpluwał przy niej, bo mylił grubiaństwo z zażyłością, tak jak mylił moją córkę z jakąkolwiek inną kobietą spotkaną w sklepie, w kawiarni. Chciałabym pojechać po nią jak do szkoły, powiedzieć jej: „wracamy do domu", i jeszcze: „to już koniec, nigdy więcej nie wrócisz do tej szkoły". I robić do niej miny, łaskotać ją, żeby usłyszeć, jak jej śmiech rozbrzmiewa spomiędzy małych, ostrych ząbków.

Ale moja córka miała dwadzieścia trzy lata.

Dwadzieścia trzy lata…

*

Chwyciłam kurtkę i wyszłam.

Miasto pogrążone w całkowitej ciemności miało rozmiary szafy ściennej, a ja, nagle rzucona w tę ciężką czerń, szłam, orientując się dzięki światłom przejeżdżających od czasu do czasu samochodów niespodziewanie oświetlających ulicę. Szłam długo, żałując, że opuściłam pokój, przeklinając myśl, że trzeba będzie wrócić do hotelu, że ta ołowiana noc zmusi mnie do tego, aż w końcu zobaczyłam podświetlony kolorowy szyld, ostatnią miejską pokusę... To był oczywiście Blue Bar. Wielka biała sala z sufitem z surowego drewna i długą ladą, z trzeszczącymi remiksami reggae w tle, w pełnym świetle wyglądała dość ubogo. Wyczuwało się tu pustkowie kuszące przestrzenią, nieukrywane prowincjonalne pretensje i odnosiło się wrażenie, że mimo rozmytych granic bliskości klienci baru w każdym możliwym wieku tolerują się nawzajem.

Usiadłam trochę z tyłu na ławie w głębi sali, zamówiłam podwójną whisky i w tym miejscu poza czasem, pozbawionym stylu i urody, poczułam się lepiej. Znów myślałam o Zoé, o nieszczęściu i dystansie, jakie wyczułam w jej słowach.

Dobry Boże! Dlaczego musi być tak, że pewnego dnia nie jesteśmy już w stanie pocieszyć naszych dzieci ani marzyć z nimi? Dlaczego uczymy je, aby wystrzegały się obcych, a nie swoich narzeczonych? Przecież oni są dużo bardziej niebezpieczni, bo nie muszą nawet zadawać sobie trudu, aby te dzieci wsiadły z nimi do samochodu, aby wyjechały z nimi ze świata ich matki. Dlaczego uczymy nasze córki takiej grzeczności? Dlaczego im mówiłam, że to źle robić komuś przykrość? Lepiej byłoby je przekonać, żeby jak najszybciej uciekały od wszystkich, którzy wymachują swoim bólem jak sztandarem, bo prędzej czy później je nim zaduszą.

*

Ojciec rodziny, którego widziałam po południu w kawiarni, rozmawiał z mężczyznami w swoim wieku, około dwudziestu pięciu lat. Wyglądali nienaturalnie, jak twardzi faceci z męskimi przekonaniami i zwyczajami – motory, hazard, alkohol – które pozwalały im zapomnieć, że ciągle jeszcze boją się swoich ojców, a gdy zapadnie noc, za Blue Barem urządzają sobie zawody w siusianiu na odległość. Tristan musiał być tym małym krępym gościem, którego wszyscy słuchali z szacunkiem, uśmiechając się z radości, że zostali przyjęci do grona jego kolegów. Ojciec rodziny miał przywilej klepania go od czasu do czasu przyjacielsko po plecach. Przestępował jednak niepewnie z nogi na nogę zaniepokojony, że to uprzywilejowane miejsce może mu zostać odebrane, i szukał akceptacji we wzroku innych, którzy odwróciliby się od niego na pierwszy sygnał Tristana, wiedział o tym.

– Chłopaki! Chłopaki! – wydzierał się Tristan. – Obiecuję, że was tam kiedyś zabiorę. OK?

Wszyscy przytaknęli z radosnym śmiechem, a Tristan dał znak kelnerowi, że stawia kolejkę.

– Pewnego dnia będziesz musiał spełnić obietnicę, Tristan – powiedział dość chudy chłopak z przepraszającym uśmiechem. Innym ta uwaga nie wydała się nieuprzejma, ale Tristan groźnym tonem kazał dzieciakowi powtórzyć:

– Co ty mówisz, Robercie!?

– No… często tak mówisz, że… że nas tam zabierzesz… a potem…

– Wynoś się! – syknął po prostu Tristan, a Robert podniósł ku niemu nierozumiejące oczy. Więc inni, bardziej sprytni od niego, łagodnie wzięli go za ramiona i wypchnęli z kręgu niemalże czubkami palców. Robert myślał, że to żart, taka nieśmiała gierka, w której jego uczestnictwo ma polegać na tym, że się roześmieje, ale śmiech zamarł mu na ustach, gdy zobaczył, jak inni zamykają krąg bez niego. Więc usiadł nieco dalej, nie przestając na nich patrzeć, i skulony na krześle słuchał ich, nie roniąc ani słowa, pełen niemego podziwu.

Mężczyzna siedzący dalej na tej samej ławie co ja obserwował zajście.

– Znałem ich wszystkich, gdy byli tacy – powiedział, podnosząc dłoń na wysokość stołu.

– Wiem, co to znaczy widzieć, jak dzieciaki rosną – odparłam. – Jestem przedszkolanką od… och, od tak dawna!

– Nie mówi się „nauczyciel wychowania przedszkolnego"? Uśmiechnęłam się z pobłażaniem.

– Zapraszam panią na drinka – zaproponował.

– Wezmę jeszcze whisky… to nie jest rozsądne…

Dał znak kelnerowi.

– Wszystkie te dzieciaki trenowały u mnie piłkę nożną. Znam je i ich starszych braci, i ich ojców, i matki, i do tego jeszcze kuzynów! – śmiał się i wydawało się, że jest z tego powodu bardzo dumny.

Był trochę młodszy ode mnie, miał czterdziestkę. Nie wyglądał za bardzo na sportowca, chociaż był ubrany w dres i adidasy, co upodabniało go raczej do osadzonego w areszcie i zapomnianego już opryszka niż do atlety.

– Ten mały – powiedziałam – ten, który nazywa się Robert, tak? Chyba nie jest za bardzo lubiany?

– Nikt nie lubi Roberta.

– Ach tak?

– W jakim mieście pani uczy? Nigdy tu pani nie widziałem.

– W Paryżu.

– W Paryżu ciągle się mówi „przedszkolanka"?

– Nie, nie, mówi się „nauczyciel wychowania przedszkolnego"...

Kelner przyniósł nam drinki, unieśliśmy je i skinąwszy do siebie głowami, wypiliśmy w milczeniu. To wtedy go zobaczyłam. Faceta z autostrady. Siedział naprzeciwko mnie i patrzył na mnie. Nie ruszał się, nie wyczarował znikąd żadnego papierosa ani nie schował nigdzie żadnej monety. Siedział spokojny, otyły, ze swoim ochrypłym oddechem. Nie spuszczałam z niego oczu. To był on. Wydawało się to niewiarygodne, ale to był on!

– Robert należał do najstarszej rodziny w mieście.

– Naprawdę?

Kuglarz się pocił jak tamtego wieczoru na autostradzie.

– Wszyscy nie żyją.

– Słucham?

– Cała rodzina Roberta, tak po prostu... wszyscy martwi. Poza nim oczywiście. Rodzice, dziadkowie, młodsza siostra, wszyscy.

Patrzyłam na chłopaka, który wciąż siedział na krześle, spokojny i posłuszny, i na wszystkich tych fałszywych łajdaków, którzy się od niego odsunęli.

– Wypadek?

– Tak. Trzydziestego pierwszego grudnia wieczorem, straszne, nie? Kierowca ciężarówki ich nie zauważył...

– A Robert? Nie było go z nimi w samochodzie?

– Robert był w szkole zimowej…

– Miał szczęście…

– Można tak powiedzieć.

Znów pomyślałam o iluzjoniście, który teraz się do mnie uśmiechał. Serce mi biło jak szalone, było strasznie gorąco.

– Widzi pan tego faceta naprzeciw mnie? – zapytałam trenera.

– To Charlot. Gwiazda tego miasta.

– Dlaczego gwiazda?

– Ups! Będzie rozróba… – mruknął mężczyzna.

Wyglądało na to, że Tristan znów wdał się w sprzeczkę, ale tym razem z chłopakiem, który w ferworze kłótni nazywał go złodziejem. Ruszył naprzód, żeby go uderzyć, ale między nimi stanął ojciec rodziny i to on oczywiście dostał cios pięścią. Zwalił się na kontuar, rycząc, że roztrzaskali mu nos. Robert podniósł się z krzesła i próbował rozdzielić tych, którzy byli już gotowi do bójki i prowokowali pchnięciem w ramię lub obelgami, rzucał się od jednego do drugiego, błagając ich: „Ej, chłopaki! To głupota, chłopaki, nie róbcie tego!". W jego głosie słychać było łkanie, ogarnęła go prawdziwa panika. Trener piłki nożnej wstał, wzdychając, i poszedł w ich stronę. Wziął jednego za łeb, a drugiemu wykręcił rękę, drąc się, żeby przestali, dranie, do jasnej cholery! Robert załamywał swoje chude ręce, które wydawały się bardzo stare, jako jedyny obawiał się tego, co będzie dalej, bo w całej tej kłótni było coś umownego, jak w sztuce, którą aktorzy odgrywają bez zapału, opieszale się przemieszczając, z kiepską dykcją. Wszyscy się wycofali, aby zrobić sobie trochę miejsca, oddzielić się jedni od drugich. Mieli zaciśnięte szczęki, pięści wbite w kieszenie, pochylone plecy. Nauczyciel obserwował ich teraz z całkowicie naturalną władzą, którą w sposób oczywisty się cieszył, jego oczy błyszczały z radości, był bohaterem wieczoru, gwiazdą, która pojawia się w drugiej części przedstawienia. W ten sposób odczekał chwilę, chcąc sprawdzić, czy wściekłość na dobre wygasła. Nastąpiło jakby odprężenie, ojciec rodziny przyłożył sobie do nosa chusteczkę, jego koszula była zakrwawiona. Ramionami Tristana wstrząsały małe, regularne tiki. „Nie chcę tego więcej widzieć, jasne?", rzucił nauczyciel, po czym dał znak kelnerowi, żeby wszystkim coś podał. Właśnie wtedy Robert się zaśmiał, jakby ciężar spadł mu z serca.

– Co się dzieje, Robercie? – zapytał trener zdecydowanie zbyt spokojnym głosem.

Chłopak przechylił głowę trochę na bok.

– Nic...

– Przynosisz pecha, Robercie – powiedział nauczyciel takim samym tonem. – Wiesz o tym?

Chłopak spuścił głowę, a potem kilka razy nią pokiwał w niemym akcie skruchy, jak gdyby mówił: „moja wina, moja wina, moja bardzo wielka wina", po czym wyszedł na palcach. Pozostali podnieśli szklanki, godzili się z sobą.

Magik siedzący naprzeciw mnie rozsunął szeroko ramiona i nie przestając na mnie patrzeć, powoli otworzył dłoń. Wyjął z jej wnętrza papierosa i znów napotkałam jego chytry, niemal zły uśmiech. Spojrzenie jego czarnych oczu było nieruchome, twarde, bez odwołania.

*

Wyszłam.

Za dużo wypiłam i za Blue Barem zwymiotowałam.

Ktoś płakał, cicho pojękując, oparty o mur. Rozpoznałam Roberta i przestraszyłam się, więc odeszłam, nie próbując go pocieszać.

Nigdy się nie dowiem, gdzie Tristan obiecał go zabrać. Nigdy się nie dowiem, o czym tak bardzo marzył. Ani czy rzeczywiście przynosił nieszczęście.

Pewnego dnia Dario zabrał mnie do siebie. Mieszkał z rodzicami w willi ukrytej między wzgórzami, w mieszkaniu służbowym jego ojca Alberto, który zajmował się handlem i stale podróżował między Genuą a Marsylią, gdzie Estelle, jego żona, nie chciała zamieszkać. Była Francuzką, co tłumaczyło, dlaczego Dario był dwujęzyczny i mówił po francusku prawie bez włoskiego akcentu.

Pierwsze, co zobaczyłam u Estelle, to były jej stopy. Chodziła po domu boso i miała zawsze pomalowane paznokcie u stóp. Stopy kojarzyły mi się tylko z nieprzyjemnym zapachem w szatni i z tanimi butami, które mama kupowała dla mnie i Christine w sklepie André przy promenadzie Mirabeau w czasach, gdy nie był jeszcze drogi. Ale stopy Estelle były elementem jej kobiecości, chodziła lekko, pełna wdzięku, a mnie od razu, mimo woli, gdy tylko ją widziałam, przychodziły na myśl słowa: „Zdrowaś Mario, wdzięku pełna, Pan z Tobą" – jak piosenka, która wpada w ucho.

Zastanawiałam się, w jakim była wtedy wieku... Może miała trzydzieści osiem lat... Ledwie czterdzieści...Ale wydawało się niemożliwe, że pewnego dnia może mieć więcej. Że pewnego dnia nie będzie mogła się pochylić, aby pomalować sobie paznokcie u nóg, że będzie się wstydziła pokazać zniszczone stopy pedikiurzystce... Stara Estelle to błąd w chronologii. Pamiętam, gdy byłam dzieckiem, jak z koleżankami ze szkoły myślałyśmy o 2000 roku. Liczyłyśmy: „w 2000 roku będę miała... będę miała...". Pierwsza policzyłam: będę miała czterdzieści lat! Rozśmieszyło nas to, bo rok 2000 to było dla nas mniej więcej to co ufoludki, latające talerze i mutanty... Na to zgoda. Ale mieć czterdzieści lat! Próbowałam sobie wyobrazić siebie z fryzurą mojej mamy, z twarzą nauczycielki, w płaszczu sąsiadki... Czterdzieści lat! To niemożliwe, na pewno nigdy nie dotrzemy do roku 2000, zresztą ufoludki nie istnieją.

Tego dnia Estelle przywitała mnie przyjacielskim uśmiechem, potem popatrzyła na Dario, jak gdyby zobaczyła go po wielu dniach nieobecności i bardzo jej go brakowało, a całując go na powitanie, zapytała: „Z czym chcesz naleśniki? Wyglądasz na trochę zmęczonego? Na pewno? Dario, popatrz! Znów założyłeś te poplamione dżinsy, chodzisz z głową w chmurach, no dobrze, ale z czym te naleśniki? Z czekoladą? Tak, będą wspaniałe! Zapach płynnej czekolady!". A gdy zabierała się do smażenia, poszliśmy do pokoju Dario...

Nie znałam wcześniej pokojów chłopców. Oczywiście widziałam u kuzynów plakaty z motorami, proporczyki, komiksy z Tintinem, był tam zaduch i wydawało się, że nie kryją one żadnej tajemnicy, może najwyżej jakieś zabronione czasopismo pod materacem.

Dom Dario był duży i jasny, ogromne przeszklone drzwi wychodziły na ogród, którym z pewnością nikt się nie zajmował. Wszystko zdawało się tam znajdować dzięki przypadkowi, szezlongi, stoły, rakiety do tenisa, nigdy nie trzeba było się przejmować tym, że pada albo że nadchodzi wieczór, nikt nigdy nie wybiegał na zewnątrz, żeby cokolwiek schować przed deszczem. Dom pachniał ogniem z kominka, nawet gdy w nim nie palono. Stale unosił się tam zapach drewna i żywicy. W korytarzu stały walizki, na kanapie leżał płaszcz, a na stole w kuchni – pęk kluczy. Dla mnie te oznaki ciągłych podróży były więcej niż nieporządkiem, były całkowitym bałaganem. W naszym domu wszystko było na miejscu, a Christine i ja nigdy nie przekraczałyśmy terytorium, jakie nam pozwolono zajmować. Nawet nasz wspólny pokój był równo podzielony, ona miała swój kąt, a ja swój, takie same biurka, takie same krzesła, takie same łóżka dla każdej z nas. Miałam wrażenie, że to będzie trwało całe życie, wszystko, co do mnie należało, będzie miało swoją kopię, przy czym towarzyszyć mi będzie poczucie winy, że mimo pozorów równości moja część jest lepsza, że wzięłam wszystko, zajęłam nawet miejsce mojej starszej siostry, która przecież nigdy nie będzie starsza.

Pokój Dario był bardzo mały, miał wysokie okno, ściany były puste, na biurku panował porządek. Zdziwił mnie ten maleńki pokoik, jak cela klasztorna, wyobrażałam sobie Dario jako księcia tego miejsca, a jego pokój – jako tajemnicze, trochę cygańskie miejsce. Ale gdy tylko wrzucił – dosłownie – do pokoju swój tornister, powiedział, że pokaże mi bawialnię. Bawialnię! Tak jak inni mają na przykład sypialnię, on miał bawialnię! To było tak jak wtedy, gdy miałam dziesięć lat i bawiłyśmy się z Christine figurkami ze stacji Shella. Przy każdym tankowaniu do pełna dostawało się gumową figurkę jakiejś postaci z filmów Disneya, miałyśmy więc kolorową kolekcję bohaterów kreskówek. Nigdy oczywiście nie byli oni po prostu sobą, przekształcałam je w dziwne postacie, złośliwe, niebezpieczne i magiczne. Mówiłam Christine: „idziemy do przebieralni!". Wszystkie możliwe przebrania za wszystkie możliwe księżniczki! Z karocami i końmi, tak, moja droga!

Potem pójdziemy do maszynowni, gdzie będzie odnowiony „Titanic" i luksusowe kabiny, tak, moja droga! A potem, jeżeli będziesz miała odwagę, pójdziemy do sali cudów, nie, nie bój się, a przede wszystkim nie mów nic mamie, ona nic z tego nie zrozumie, bo te cuda, moja droga, nie dzieją się w Lourdes!

Bawialnia Dario była ogromna. Myślę, że musieli zburzyć ściany kilku pokoi, aby zrobić z nich jeden. Nie miało się wrażenia, że mieszka w tym domu dopiero od dwóch lat, tylko że się tu urodził i przechowywał tu wszystkie prezenty od urodzenia, a przez siedemnaście lat zasypywano go, zalewano niespodziankami wszelkiego rodzaju. Jako dziecko lubiłam katalogi zabawek. Dzięki nim mogłam marzyć o wszystkim, czego nigdy nie będę miała. Wszystko było za drogie, zbyt powierzchowne i niewystarczająco chrześcijańskie: podarować zegarek na Pierwszą Komunię, ubrać choinkę na Boże Narodzenie to było dobre dla złych katolików, a my koncentrowaliśmy się przecież na tym, co najważniejsze, modliliśmy się.

Dario wskazał mi dmuchane, pomarańczowe, okrągłe fotele stojące w kącie, w którym pachniało plastikiem i plażą. Popatrzył na pokój.

– Za duży, prawda? – zapytał.

– Trochę…

– Idziesz w sobotę na imprezę do Anne-Sophie?

– Nie wiem… To znaczy nie… Moja mama za bardzo nie lubi…

– Ale cię widziałem. Na imprezach.

– W środy.

– Aha.

– W środy mówię… mówię mamie, że się uczę u France, ale w soboty… wtedy jest mój tata, siedzimy wszyscy razem.

Nic już nie powiedział. Patrzył na mnie. Tak długo, że w pewnej chwili pomyślałam, że o mnie zapomniał, że jest

gdzie indziej, a ja nie wiem, co mam zrobić. Byłam sama
z Dario, po raz pierwszy u niego, w sali wypełnionej bezuży-
tecznymi przedmiotami, gdzie czuć było zapach czekolady.
Jego niebieskie oczy, nagle zasępione, patrzyły na mnie z ła-
godnością i skupieniem, od tego spojrzenia omal nie dostałam udaru, tak mi było gorąco. Nie miałam odwagi poruszyć
się na tym dmuchanym fotelu, który wydawał piski przy
każdym drgnieniu, mówiłam sobie, że nawet jeśli ten czas
wydaje mi się nieskończony, to się skończy, nie będziemy tak
siedzieć, patrząc sobie w oczy po kres czasów, bo jutro trzeba
będzie wrócić do szkoły, a dzisiaj wieczorem będę jadła kolację z rodziną w naszej jadalni, to było pewne. Było pewne, że
życie to nie to, a jednak czułam, że jest właśnie tu, i czułam
je w zupełnie inny sposób, nagle stało się bogatsze i nie potrzebowałam marzeń, które by je zastąpiły. To życie całkowicie wystarczało, aby moje serce pogalopowało naprzód
z prędkością większą niż dozwolona. Do tej pory zapewne
tylko leniuchowało, a teraz było waleczne, gotowe, by wreszcie się ośmielić. A Dario dalej na mnie patrzył, jego spojrzenie
trwało, spokojne, nieruchome spojrzenie, które utkwił we
mnie, po czym się uśmiechnął, a mnie nabiegły od tego łzy
do oczu. To wszystko było ponad możliwości mojego serca,
dwie przegrody nie wystarczały, byłam bez tchu, oddychałam nerwowo, brakowało mi powietrza. A kiedy Dario wy-
ciągnął w moją stronę rękę, kiedy jego dłoń zbliżyła się do
mojej twarzy, kiedy jego palce powoli dotknęły mojego karku
i zdjęły gumkę z moich włosów, uwalniając je, zemdlałam.

To omdlenie uzmysłowiło nam coś bardzo ważnego: musimy działać wolno, najwolniej jak to możliwe. Dario nie próbował już żadnych gestów, co na chwilę przyniosło nam ulgę, ale
potem bardzo szybko stało się męczarnią, obawą, której natury nie rozumiałam: czy bałam się, że położy rękę na moim
ciele, czy nie mogłam już się tego doczekać? Miałam nerwy
napięte do granic i wkrótce całe moje życie stało się tym oczekiwaniem. Zmieniła się przestrzeń między nami, można powiedzieć, że coś nas przy sobie trzymało, że mieliśmy zrośnięte ramiona, plecy, żołądki, byliśmy bliźniętami syjamskimi,
chociaż nie było tego widać. Chodziliśmy i oddychaliśmy
inaczej niż wszyscy, czując zawsze niewielki ból w piersiach,
w dole pleców i ciężar na sercu, jakbyśmy zostali porzuceni.
Im bliżej siebie znajdowały się nasze ciała, tym trudniej było
nam rozmawiać. Dario mniej na mnie patrzył. Spojrzenie
Dario było gestem. Słowem. Tego też się wystrzegaliśmy. Byliśmy nieufni. Więc on znów zajął się tym, czym przedtem, stał
się przedmiotem westchnień połowy dziewczyn z liceum.
Patrzyłam na niego popołudniami na prywatkach, które

102

wszystkie były do siebie podobne, nabrzmiałe nudą i skrywaną seksualnością, otwartą intymnością, dobrowolnymi pocałunkami, czyhałam na chwilę między dwoma wolnymi tańcami, kiedy położy rękę na czole, kiedy zacznie inaczej oddychać, kiedy jego spojrzenie zagubi się w dali, kiedy tylko ja będę go widziała. I ten gest stał się sensem mojego życia. Christine miała Mike'a Branta. Moja matka – swoje krzyże. Mój ojciec – martwe motyle. Ja miałam samotność Dario, która wróżyła inną samotność. Postanowiłam przeżyć to oczekiwanie, nauczyć się skutecznie bronić przed nadmiarem emocji, aby pewnego dnia podejść do niego, nie mdlejąc, i oddać się całkowicie, kochać go aż do wyczerpania, a później odnaleźć ten gest tylko dla mnie. Nie trzeba dodawać, że zupełnie nie wiedziałam, jak się do tego zabrać, miałam tylko bardzo niejasne wyobrażenie o tym, co to może znaczyć – kochać się z kimś. Znałam trochę opisów z książek, widziałam trochę bulwersujących scen w kinie, słyszałam obowiązkowe opowiadania koleżanek po wakacjach w Anglii lub spędzonych pod namiotem o czymś, czego nie rozumiałam. Coralie Finel pewnego razu powiedziała, że jej brat, który przespał się z Niemką, skomentował: „kurwa, długie są te Niemki!", i nie był zadowolony. Nie rozumiałam. Czy Niemki były wysokie? Za wysokie, żeby chłopcy mogli się na nich położyć i przykryć je swoim ciałem? Inna koleżanka tłumaczyła mi, że jej kuzynka idiotka i jej mąż nie mogli dorobić się dzieci, więc poszli do lekarza, a on odkrył, że jej kuzynka ma pokaleczony brzuch, „bo wiesz, u nich w ogóle nie dochodziło do penetracji, uprawiali seks przez pępek". Można było usłyszeć takie rzeczy, niedorzeczności, które potwierdzały naszą niewinność, choć miały ją obalić. Miłość była zawsze trochę brudna. Była tajemnicą, która miała rosnąć, ale zmniejszała się, w miarę jak stawała się bardziej zrozumiała. Robiła się banalna, nieco nudna, byliśmy zawiedzeni, ale i tak coś nas do niej popychało, bo mieliśmy nadzieję, że odkryjemy coś, czego inni nie wiedzą.

Wyglądało na to, że dziewczyny, które raz się z kimś kochały, nie mogły przestać i zmieniały partnerów, na wzgórzu za liceum, niedaleko sali gimnastycznej. Patrzyłyśmy na nie z zazdrością i nazywałyśmy między sobą „łatwymi dziewczynami", a nawet po prostu „kurwami", gdy chodziło o te z biedniejszych rodzin. Czułyśmy się upoważnione do pogardy. Były też takie, które prostytuowały się w kawiarni Deux Garçons* – mówiło się na nią Dwaj G. „Robiły to" staruchom w toalecie, a potem leciały do najbliższego Monoprix i kupowały sobie pończochy oraz szminkę. W piosence *Que je t'aime*, której nie miałyśmy prawa słuchać w domu, Johnny Hallyday śpiewał, „gdy już skończyliśmy się kochać" w sposób tak szokujący, jak szokujące były dla nas zdjęcia ciężkich, nagich, bezwładnych ciał. A gdy Sylvie Vartan śpiewała, że czuje się jak „suka" (wtedy wyobrażałyśmy sobie Sylvie Vartan), jej piosenka wprowadzała do życia chaos, zamieszanie, mówiła o miłości jak o walce.

W naszym świecie stale panowały ignorancja i chęć miłości. Patrzyłyśmy na innych. Jak to robili, co opowiadali, jak się do tego zabierali. Czy później staniemy się takie jak oni? Czy będziemy miały taką pewność siebie, taki niedbały sposób mówienia o „tym", tę wyższość nad tymi, z którymi się wcześniej „chodziło"? To było rozczarowanie, które nabierało znaczenia kosztem partnera.

A ja patrzyłam na Dario i czekałam.

– No nie, na co ty czekasz, w tych swoich skarpetkach i spódniczkach w kratkę, to naprawdę idiotyczne. Wiesz, że jesteś śliczna?

– Tak myślisz?

---

* Deux Garçons (fr.) – Dwaj Chłopcy.

– Zapewniam cię, Emilie, rozmawialiśmy o tym między sobą, naprawdę, to idiotyczne, Emilie, gdybyś chciała, byłabyś superładna. No, bez tego końskiego ogona jest już lepiej, nie?

*

Gdybym chciała… Gdybym chciała… Zwróciłam się do cioci Suzanne z prośbą, aby zamiast mnie rozegrała tę bitwę. Aby przekonała moją mamę, żeby kupiła mi pończochy Dim. To była epoka reklam i dziewczyn marki Dim z nogami we wszystkich kolorach. Ciocia musiała wykorzystać miażdżące argumenty, żeby moja mama się zgodziła, słyszałam, jak rozmawiały w kuchni, potrącały półmiski i nakrycia, było nerwowo jak na zapleczu restauracji. Ciocia Suzanne mówiła: „jeżeli nie odpuścisz, Anne-Marie, dojrzewanie Emilie będzie straszne". Moja mama powiedziała: „och, nie, tylko nie to, mój Boże", głosem tak przerażonym i błagalnym, że odważyłam się powiedzieć cioci, iż poza czerwonymi pończochami chcę też dżinsy. I dostałam je.

*

Dario rozpuścił moje włosy. Uczynił pierwszy gest, aby trochę wyzwolić moją kobiecość. Nie spieszyło mi się. Wiedziałam, że ciąg dalszy nadejdzie. Pamiętałam Marrakesz, to nowe spojrzenie na siebie. A poza tym mogłam być niebezpieczna, przeżywać pełne buntu dojrzewanie, które dla mojej mamy było groźne… Myślałam o tym, podpierając ścianę w środę po południu, stojąc przed tymi wszystkimi podobnymi do siebie nastolatkami, którzy uważali mnie za nieśmiałą dziewczynę, nawet skrępowaną, i nie wiedzieli, że mogę stać się dziewczyną niebezpieczną.

Czy kiedykolwiek czekałam na Marca, tak jak czekałam na Dario? Gdy go spotkałam, nie byłam już niewinna. Należałam do Dario i do nikogo potem, to znaczy nikogo, kto byłby wart tego, żeby o nim pamiętać. Przychodzą mi na myśl tylko maleńkie kawalerki w starym Aix, materace leżące na ziemi, bałagan, biało-różowe poranki nad dachami miasta i ta chęć, aby uciec, zanim ten drugi się obudzi. Wstaje ze sterczącymi włosami na głowie, biegnie do toalety i długo sika, drąc się: „chcesz kawę!?". Potem spuszcza wodę, wraca, powłócząc trochę bosymi stopami, a ja się boję, że teraz mnie pocałuje, nie umywszy zębów, nie otarłszy zaschniętej śliny z kącików ust. To stworzenia, które dla innych kobiet miały duże znaczenie. Kobiety dla nich cierpiały, być może chciały umrzeć. To bohaterowie historii o miłości i ojcostwie, synowie, którzy w niedzielę wieczorem dzwonią do swoich matek i rozmawiają z nimi uprzejmie, wzruszająco. Ci mężczyźni, choć naznaczyli życie wielu kobiet, byli dla mnie tylko jakimiś zarysami postaci. Nie kochałam ich. Nigdy nie byli nim, Dario. Robili to, co robią wszyscy chłopcy, odpowiedzialnie wypełniali swoje zadania, a przynajmniej próbowali to robić. Uprawiali zawód mężczyzny. Uczyli się go pospiesznie, bez zbędnej zwłoki i rozglądania się na strony, bo czas trzeba było dobrze wykorzystać – tylko nauka, bez inicjacji. Czasem myślałam, że nawet Christine wiedziała więcej od nich, bo dzięki temu, że uczyła się życia, słuchając w kółko tylko jednej piosenki, wiedziała, co to znaczy „medytować". „Na ziemi nowy dzień, światło nam przyniesie". Mistycyzm różnorodności. A to, że Mike Brant nie rozumiał, co śpiewa, nadawało tylko słowom zasięg uniwersalny, sens leżał w rozmachu, z jakim śpiewał, tak by wznieść się ponad ubóstwo rymów.

*

Historia moja i Marca od początku była oczywista. Podobaliśmy się sobie, mieliśmy podobne zainteresowania, byliśmy w tym samym wieku i oboje pragnęliśmy wyjechać z Aix do Paryża, aby zacząć nowe życie. Wymarzyliśmy sobie, że będzie ono równie głębokie i nieznane jak to miasto. Myśleliśmy, że nasza historia w jakiś sposób potwierdzi wspólne wyobrażenia o stolicy, w której zapadały decyzje o wszystkim, co ważne, gdzie chroniono dzieła sztuki, gdzie było tyle księgarń, kin, teatrów. Myśleliśmy, że w tym stale wrzącym mieście my też, przez naśladownictwo, wydobędziemy z siebie to, co najlepsze. Ale nic takiego nie nastąpiło. Przez pierwsze lata, chociaż żyliśmy w Paryżu, pozostawaliśmy na jego peryferiach. Wszystko było drogie i brakowało nam przyrody. Wszędzie panoszyła się przemoc, wyzierała z niecierpliwego tłumu, była widoczna w jego agresji, zmęczeniu i szorstkiej rezygnacji. Wszystkiego było za dużo: ludzi i sklepów, manifestacji, strajków, starć, defilad, meczów, festiwali, wydarzeń, skandali, megakoncertów, monstrualnych korków, ale też zasiedlonych pustostanów i biedy, luksusowych apartamentów i podejrzanych hotelików. Paryż był zawsze nieprzewidywalny i przeładowany, Paryż wyrzucał z siebie wszystko bez opamiętania i bez ostrzeżenia, jego zawartość występowała z brzegów i często mnie przerażała.

A potem Paryż ustąpił. Po latach tułania się między różnymi dzielnicami, między maleńkimi kawalerkami a starymi mieszkaniami, zawsze na łasce niesprawnego wodociągu albo zepsutego ogrzewania, po wielu przyjaźniach bez znaczenia, znajomościach z dobrymi sąsiadami, niepewnych posadach, po latach „bycia z prowincji", spotkań z innymi przyjezdnymi, z Bretanii, a potem spod miasta, urodziły nam się dzieci, staliśmy się rodzicami, którzy chodzą do żłobka, czekają za ogrodzeniem szkoły, biorą udział w zebraniach rodziców, a w papierach wpisują w stu procentach paryskie miejsca urodzenia i adresy. W końcu mieliśmy w Paryżu swoje wspomnienia, swoje miejsca, adresy, które znaliśmy, i to, co najbardziej lubiliśmy.

*

Marc, który najpierw miał posadę barmana w hotelu w Luwrze, potem był przedstawicielem L'Oréala, kierowcą na trasach międzynarodowych wożącym do krajów Wschodu sprzęt informatyczny i niedopuszczone do sprzedaży alkohole, w końcu został taksówkarzem. Uwielbia swój zawód, a potem go nienawidzi i co miesiąc oświadcza, że go rzuci i otworzy restaurację, biuro podróży, będzie kształcił przewodników po Paryżu dla niewidomych turystów, a ostatnio chce nawet założyć europejskie stowarzyszenie cierpiących na agorafobię, pragnących zwiedzić wszystkie dwadzieścia siedem stolic Unii Europejskiej. Bardziej niż korki czy konieczność siedzenia przez dziesięć godzin dziennie wykańcza go inna strona tej profesji, nie ma bowiem tygodnia, by nie wysiadał z taksówki, aby dać w pysk jakiemuś krzykaczowi. „Ty dupku, stwarzasz zagrożenie na drodze, wyłaź z tego auta, jeżeli jesteś mężczyzną". Wielu z nich jest mężczyznami. Wielu wysiada z aut, i to bez wahania.

Mam szafę apteczną godną organizacji Lekarze Świata, potrafię tamować krwotok, zakładać plastry Steri-Strip na rozcięty łuk brwiowy, okładać lodem rozciętą wargę, masować zwichnięte nadgarstki, bandażować kolano, rękę, stopę, a przede wszystkim słuchać opowieści o kłótniach, walkach i zatargach z glinami.

A jednak Marc nie kocha bijatyk i jeżeli zabiera się do rękoczynów, to jak mówi, po prostu dlatego że nie cierpi niesprawiedliwości i „podjeżdżania" na drodze. Marc kocha słuchać swoich klientów, a najdziwniejsze, najbardziej wzruszające i najbardziej absurdalne opowieści starannie notuje w dużych niebieskich zeszytach w kolorze jego taksówki. Ma też w biurze gablotę zarezerwowaną na to, co nazywa „przedmiotami przechodnimi". W rzeczywistości są to zwykłe rzeczy pozostawione przez pasażerów na tylnym siedzeniu, które przechowuje, umieściwszy wcześniej na każdym odpowiednią etykietkę: „bilet na samolot do Bratysławy", „komórka zapłakanej kobiety", „książka młodej wdowy", „rękopis Ryszarda III", „fotel z orkiestry Opery", „anonimowe majtki z 23 lipca", „szantażujący list z 24 grudnia", „manifest pacyfistyczny" i tym podobne.

*

Czy Marc i ja się kochamy? Wydaje mi się raczej, że mimo kłótni dobrze się rozumiemy i wypełniamy swoje zobowiązania. Nasi przyjaciele, którzy rozwodzą się w rytmie mniej więcej jednego rozwodu na trzy miesiące, mówią nam, jakie mamy szczęście, że oboje nadajemy „na tych samych falach".

Nie wiedzą tylko, że te fale są nieruchome, nie tańczą na wietrze i oczywiście nie wibrują wystarczająco mocno, aby wypchnąć nas poza codzienną rutynę. Jest tak, jakbyśmy leżeli w jednym hamaku. Wokół nas wszystko się kołysze, a my się nie dajemy.

Gdy znalazłam ogłoszenie Dario w gazecie, wyjechałam tam, gdzie biło serce, tam, gdzie wszystko, co nas otacza na co dzień, traci znaczenie i znika dokładnie tak, jakbyśmy umarli. Spotkania zapisane w kalendarzu, pieniądze, które zarabiamy, tracimy, pożyczamy innym i od innych, życie ludzkie podobne jedno do drugiego, ograniczona przestrzeń i pożerający wszystko czas – o tym zapominałam, jadąc drogą krajową z Lyonu na południe, gdy w powietrzu unosił się już zapach suchych kwiatów i żywicy. Rano opuściłam małą, brzydką mieścinę leżącą na tej trasie, zostawiłam za sobą deptak i Blue Bar, zagubionych ludzi, samotne pary.

*

Włączyłam radio, Caruso śpiewał arię z *Poławiaczy pereł*, a płyta trzeszczała geniuszem i zadyszką. „Zdaje mi się, że jeszcze ją widzę w blasku gwiazd, uchylającą długie okrycie…" Zaczęłam śpiewać ze wzruszeniem, które doprowadziło mnie prawie do łez. Ale miałam prawo. Byłam sama w samochodzie i mogłam zachowywać się jak wariatka. Mogłam się drzeć, śpiewać, płakać, mówić, śmiać się, mogłam żałować, że Dario ma pięćdziesiąt lat, żałować, że nigdy naprawdę nie kochałam swojego męża, żałować, że moje córki nie będą już nigdy maleńkimi dziećmi, nawet przez godzinę, przez kilka minut, żałować, że nie spotkam już mojej siedemnastoletniej miłości, nie doświadczę niewinności tego mężczyzny, który miał tysiąc kobiet, tego chronionego *ragazzo*. Już nigdy nie będę go trzymać w ramionach po raz pierwszy. Dokąd zmierzają nasze działania? Jeżeli dostajemy tyle, ile daliśmy innym, trzymaliśmy ich w ramionach, kołysaliśmy, obejmowaliśmy do utraty tchu, czy pewnego dnia zostanie nam to policzone? Czy pewnego dnia będziemy musieli się cofnąć i zacząć od nowa?

*

Jakiś facet stał na poboczu, czekając na okazję. Zatrzymałam się, najpierw był tym zaskoczony, a potem jak obudzony z letargu rzucił się do mojego samochodu. Nie miał bagażu i nie wyglądał na chłopaka w drodze. Wsiadł, dziękując mi nerwowo wiele razy, a jego „dziękuję pani" było dość irytujące. Pani, pani, pani… w jakim wieku stajemy się panią?

– Gdzie pan jedzie? – zapytałam.

– Wszystko jedno.

– Słucham?

– Jak najdalej.

Popatrzyłam na niego. Miał przyjemny profil, prosty nos, ładne włosy, wyraźnie zarysowane kości policzkowe, na oko dwadzieścia pięć lat. Jego ręce leżące płasko na kolanach nieco drżały.

– Jest pan stąd?

– Skąd, proszę pani?

– Tutejszy...?

– Nikt nie jest tutejszy, proszę pani.

Dlaczego się zatrzymałam i wzięłam tego gościa do samochodu? Czy będę mogła się go pozbyć i pod jakim pretekstem?

– Mogę zapalić, proszę pani?

– O nie! Jeśli pan chce, mogę się zatrzymać, a pan wysiądzie, jeżeli nie może się pan powstrzymać, może pan wyjść, ale papieros w samochodzie... nie, niestety...

– Hej! Dobrze, dobrze! Chce pani, żebym wysiadł, tak?

– Nie.

– Chciałaby pani, żebym powiedział, że właśnie zepsuł mi się samochód albo uciekł mi autobus, coś w tym stylu?

– Co mnie to obchodzi.

– Jak to?

– Chciał pan jechać stopem, teraz jest pan w moim samochodzie, a reszta mnie nie interesuje.

– Zgoda.

I zamilkł.

Wyłączyłam radio. Jechaliśmy, nie rozmawiając, w ciszy, która przeszkadzała mi bardziej niż jemu. Miał poplamione spodnie, brzydko obcięte paznokcie. Patrzył przed siebie, potrząsając od czasu do czasu głową, jakby w rytm muzyki. Nie mogłam o niczym innym myśleć, zdystansować się, ten chłopak nawet milcząc, zajmował całą przestrzeń.

– Dokądś pan jednak jedzie – powiedziałam.

Roześmiał się.

– Zupełnie jak moja matka – odparł grzecznie.

– Mogłabym być pana matką. Moja najstarsza córka jest pewnie w pana wieku. Ile ma pan lat?

– Dwadzieścia osiem.

– Aha... dałabym panu trochę mniej.

– Młodo pani wygląda, jak na dwudziestoośmioletnią córkę.

– Moja najstarsza córka ma dwadzieścia trzy. Mam trzy córki.

To już go nie interesowało i znów przez kilka kilometrów nie rozmawialiśmy. Potem wyjął tytoń, mówiąc, że skręci sobie papierosa i wypali go później, „nie będzie czuć w samochodzie, proszę się nie niepokoić".

„Proszę się nie niepokoić. Koncert zacznie się za chwilę, proszę pani".

To było jedno z upalnych sierpniowych popołudni, gdy żelazne okiennice parzyły w palce, a słońce grzało tak, że czuliśmy się w domu jak w metalowym pudełku. W mieszkaniu panował półmrok, trzeba było więc włączyć światło, Christine włączała nawet lampki na naszych biurkach i kierując na siebie ich światła, darła się: „Wszystkie światła na scenę poproszę, wszystkie światła na Mike'a Braaaantaaa!".

Miałam czternaście lat. Lato było długie, a my już w połowie sierpnia wróciliśmy z Owernii, ze starego, dużego domu, zawsze brudnego, zawsze zimnego, z miejsca, którego nie lubiliśmy i które odwdzięczało się nam tym samym. Miałam czternaście lat i wychodziło mi już uszami słuchanie przez całe popołudnia mojej małej starszej siostry, niby to śpiewającej z playbacku, i to, że miałam nad nią czuwać jak nad „iskierką ognia" – tak polecała mi matka, bo sama całe popołudnia spędzała na plebanii, przygotowując początek roku katechetycznego.

Popatrzyłam na Christine, na jej błagalne oczy, odrzuconą do tyłu szyję, patrzyłam na jej wysiłek, aby śpiewać tak wzruszająco jak Mike Brant, po czym zabrałam jej jedną lampkę, pochyliłam ją nad moim biurkiem i napisałam na dużej białej kartce: „Mam na imię Christine. Jeżeli się zgubię, proszę mnie odprowadzić do kościoła Petite Chartreuse, budynek B, w Aix-en-Provence". Przypięłam kartkę agrafką do jej niebieskiej bluzki (mama zawsze robiła tak, żeby przejąć od swoich harcerek ich zniszczone ubrania i oddać je nam, załatawszy dziury grubą białą nitką podobną do sznurka, jakim wiąże się pieczeń).

– Co robisz? – zapytała Christine. – Co napisałaś?

– Zostaw mikrofon, Christine, wychodzimy.

– Mama nie chce, żebym wychodziła.

– I dlatego jej nie powiemy.

– To jej nie zabije?

– Nie.

– Ty też będziesz jej krzyżem?

– Nie, ja jestem jej raną. Krzyż to ty.

– Ale co tu napisałaś?

– Wyłącz światła. Wychodzimy, mówię ci.

*

Christine miała piekielny instynkt i dobrze mnie znała. Tego dnia była wobec mnie nieufna i miała rację, chociaż na początku myślałam, że to będzie po prostu zwykła zabawa. Ale Christine mimo obaw nigdy nie umiała niczego mi odmówić. Rzuciłaby się dla mnie z okna, gdybym ją o to poprosiła. Zwymyślałaby rodziców, wyrzuciła swoje płyty, wyrwała skrzydła motylom ojca, gdybym tylko jej powiedziała, że nic innego nie mogłoby mi sprawić większej przyjemności. Nigdy nie zasnęła, nie powiedziawszy „Mimile, kocham cię", przy czym myślała, że mówi to po cichu, a było słychać w całym mieszkaniu. Uciszałam ją, a ona, zamiast nabrać podejrzeń, odpowiadała po prostu swoim grubym głosem „dobra", po czym następnego dnia zaczynała od nowa. Dlaczego nigdy jej nie odpowiedziałam? Nie chodziło jej o to, żeby mi mówić co wieczór, że mnie kocha, tylko o to, żebym ja jej powiedziała to samo, tylko raz. Wtedy by przestała.

*

– Dokąd idziemy?
– Do miasta.
– Powiedz mi, co napisałaś.

Stałyśmy na ulicy Minimes na wąskim, wyboistym chodniku, w cieniu platanów, o które prawie ocierały się przejeżdżające samochody, unosząc w powietrzu podarte papiery i pył. Wskazałam jej pierwsze słowo na kartce i poprosiłam, żeby je przeczytała, podpowiadając:

– Ta litera to „m"! To samo „m", co w mod... mod... No wysil się trochę, Christine! Znasz to na pamięć, to piosenka!

– Piosenka, którą znam?

– Na pamięć!

Próbowała coś wymyślić z szaloną obawą, że mnie zawiedzie, wzdychała głęboko, a jej oczy błagały mnie o pomoc.

– Zastanów się, Christine, jaką znasz piosenkę? No, nie bój się, spróbuj, jaką znasz piosenkę?

– Znam... znam... *To moja modlitwa?*

– Tak!

Zaśmiała się głośno, kołysząc się, a uśmiech rozlał się po całej jej twarzy. Ale gdy powiedziałam:

– Zobacz, napisałam: „Jeżeli się zgubię, proszę mnie odprowadzić do kościoła Petite Chartreuse, budynek B, w Aix-en-Provence" – przestała się śmiać. Spojrzała na mnie, w skupieniu mrużąc swoje małe oczy za grubymi szkłami okularów.

– Boli mnie brzuch. Chcę iść do ubikacji.

– Nie.

– Tak.

– Mówię ci, że nie. Christine, posłuchaj mnie uważnie: czy chcesz przeżyć coś, co przeżył tylko Mike Brant?

– Ale mnie boli brzuch.

– Christine, wiesz, że jak Mike Brant był mały, to nie mówił?

– Tak…

– Wiesz, że jego mama sprzedała meble, żeby opłacić podróż do Ameryki do lekarzy specjalistów?

– Nawet stół?

– Co?

– Sprzedała nawet stół?

– No.

– To smutne.

– To nie jest smutne, warto było.

– Tak.

– Ale Ameryka jest wielka, zgadza się?

– O tak, zgadza się.

– No więc jeżeli kiedykolwiek mały Mosze – bo nie zapominaj, że nazywał się Mosze… Skoro Mike Brant był niemową i z tego powodu znalazł się w Ameryce, a niemowa nie może śpiewać… Zgadzamy się co do tego? Zgadzamy się?

– Yhm…

– A jego mama tak bardzo się bała, że się zgubi na ulicach Nowego Jorku, że powiesiła swojemu małemu chłopcu na szyi taką tabliczkę, z innym adresem oczywiście, adresem w Nowym Jorku. „Jeżeli się zgubię, proszę mnie odprowadzić…", nie wiem, na przykład na „Czterdziestą Drugą ulicę", wiesz, albo do „koszernych delikatesów na Manhattanie"…

No więc ty masz taką samą tabliczkę, tylko w wersji Aix, no i idź, zrób to, co Mike Brant! Pobaw się w Mosze, idź do miasta, zobaczymy, czy ludzie będą chcieli ci pomóc, odprowadzić cię, jeżeli się zgubisz.

Nie ruszała się. Patrzyła na mnie. Bez słów. Osłupiała.

– Właśnie tak, nic nie mówisz, a ludzie mają cię odprowadzić do domu.

Czyniła rozpaczliwe wysiłki, aby być mi posłuszną, ale jeszcze większe, aby zrozumieć, czego od niej oczekuję, co dokładnie ma zrobić. W naszą stronę szła kobieta w nieokreślonym wieku wracająca z Géant Casino z rękami pełnymi siatek. Powiedziałam szeptem do Christine: nie zapomnij, że się zgubiłaś, nie wiesz, gdzie jest twój dom, i kiedy kobieta nas mijała, Christine stanęła przed nią:

– Gdzie jest mój dom, proszę pani?

Kobieta wytrzeszczyła z przerażeniem oczy. Podobnie jak wielu innych ludzi sprawiała wrażenie, że uważa za całkowicie niestosowne, iż Christine zwraca się do niej jak do równej sobie. Poszła swoją drogą, mamrocząc, że nie ma czasu, mówiła to do siebie ze wzrokiem wbitym w brudny asfalt, a ramiona ciążyły jej od zakupów. Złapałam Christine za ramię, próbowała się wyrwać, chciałam wytłumaczyć jej jaśniej, co ma robić. Ale ona odepchnęła mnie z całą swoją siłą i zatrzymała staruszka idącego chodnikiem, prowadzącego jedną ręką rower, na który – to było oczywiste – nie powinien nigdy wsiadać.

– Gdzie jest mój dom?

– Co?

– Gdzie jest mój dom?

Stanęłam między nimi, objęłam Christine za szyję i szepnęłam do niej:

– Daj przejść temu panu z rowerem, Christine, tak naprawdę nie możesz mówić ani…

Zabrakło mi tchu od mocnego uderzenia łokciem w brzuch. Christine zawsze była imponująco silna.

– Do ciebie nie mówię! – wrzasnęła, nawet na mnie nie patrząc. Zrozumiałam, że naprawdę nie pojęła zasad, więc nalegałam dalej:

– Christine, chodzi o to, żeby…

– Na pomoc! – ryknęła. – Na pomoc! Na pomoc! Na pomoc! Krzyczała z całą swoją żarliwością, siłą i paniką. Staruszek umknął najszybciej, jak mógł. Christine darła się, wołając o pomoc i gwałtownie mnie odpychając, nie miałam już nad nią żadnej władzy, nie słyszała mnie, a nawet zaczęła wierzyć w swoje nieszczęście i uważać mnie za swojego wroga, nie dało się jej skłonić, żeby się opamiętała. Obok nas przeszła grupa nastolatków, omijając nas jak najszerszym łukiem. Woleli iść ulicą, ryzykując, że ktoś ich rozjedzie, niż choćby otrzeć się o dwie histeryczki. Jakiś facet na motorze zatrzymał się, aby zapytać, co się dzieje, wydawał się miły i pełen współczucia, ale kiedy Christine wrzasnęła: „Na pomoc! Jestem niemową w Nowym Jorku!", z powrotem założył kask i czmychnął. A na koniec ja też spanikowałam. Zatrzymywałam samochody, mając nadzieję, że Christine wsiądzie do któregoś, że ktoś zawiezie nas do domu i obejdzie się bez skandalu. Ciągle krzyczała, że jest niemową w Nowym Jorku, a potem nagle skrzywiła się, trzymając się za brzuch, co sprowadziło ją z powrotem na ziemię: „Muszę zrobić kupę, Mimile, szybko!", powiedziała. Na szczęście w tym samym momencie zatrzymała się przy nas kobieta za kierownicą nowiutkiego renault. To była córka sąsiadki, rozpoznała Christine i zaproponowała, że podwiezie nas do domu. Byłyśmy uratowane.

*

W samochodzie bardzo szybko zaczęło okropnie śmierdzieć. Popatrzyłam na Christine, która teraz trzymała się za brzuch, uśmiechając się dziwnie... Kobieta rzuciła nam spojrzenie pełne strachu: „Co się dzieje? Co to za smród? Co wyście zrobiły? Jesteście chore? Co? Jesteście chore?". A wtedy Christine, wydając z siebie głębokie westchnienie ulgi, po prostu powiedziała: „Niech się pani nie boi. Nie jestem niemową".

*

Największy i najgorszy możliwy przypadek sprawił, że mama znalazła się pod naszą kamienicą w tej samej chwili, kiedy córka sąsiadów wyrzucała nas ze swojego samochodu, grożąc nam sądem.

Christine płakała. Ulżyło jej, nie bolał ją już brzuch. Na niebieskiej bluzce harcerki wciąż miała przypiętą kartkę.

– Panu naprawdę chce się palić, prawda? Zrobimy postój, muszę się napić kawy.

Patrząc, jak ten facet wysiada z mojego samochodu, myślałam o Marcu i o tych wszystkich historiach, które mi opowiadał, o jego niewiarygodnych spotkaniach, o tym, jak lubił rozmawiać z ludźmi, odkrywać fragmenty ich życia, początki związków, lubił zwierzenia klientów, którzy opowiadali mu o sobie, bo wiedzieli, że nigdy więcej go nie zobaczą. Urządził swoją taksówkę jak małą poczekalnię: oczywiście gazety, ale też różności dotyczące trasy, którą mieli jechać, a także muzyka, bo dla każdego miał odpowiednią muzykę. Amerykańskim turystom, którzy po raz pierwszy przyjeżdżali do Paryża, puszczał Edith Piaf i Maurice'a Chevaliera, zakochanym – piosenki z rewii, Caliego*, Franka Sinatrę, Olivię Ruiz albo Jacques'a Brela, zależnie od wieku i typu osoby, miał też nagrania muzyki z całego świata dla obcokrajowców tęskniących za krajem. Mówił po angielsku, rozumiał trochę po

---

* Bruno Caliciuri, nazywany Cali – piosenkarz francuski.

włosku i hiszpańsku i od roku uczył się rosyjskiego, puszczając sobie kasety z metodą ASSiMiL, gdy nie miał pasażerów. Uczył się słów piosenki *Oczi czornyje*, ale odmawiał dyskusji o polityce. Neutralność polityczna była jego złotą zasadą. Mimo to kiedyś wyrzucił z taksówki prawą rękę Le Pena, księdza integrystę, kobietę w ciąży, ale antysemitkę...

*

Skończyło się na tym, że siedząc przy stoliku, piłam kawę z tym dziwnym młodym mężczyzną, który palił papierosa, mając przymknięte oczy i wystawiając twarz do południowego słońca. Uśmiechał się, a czasem nawet śmiał się do siebie.

– Co pana tak uszczęśliwia?

– Prawo kosmosu.

– Aha...

Spojrzał na mnie mimo wszystko świadomy efektu, jaki wywołał, po cichu ciesząc się swoją odmiennością.

– Każdy należy do jakiegoś żywiołu, wystarczy wiedzieć do jakiego, na przykład w ubiegłym tygodniu byłem u wróżki, czarnej wróżki, która może żyć tylko nocą, a w dzień zamyka okiennice, po prostu nie może patrzeć na światło dzienne.

– To smutne. Jest pan głodny? Ja coś zjem, zapraszam pana.

– Omlet. Ta wróżka nie była smutna, po prostu znała swoją karmę. W ubiegłym roku spotkałem druida...

– Bez dodatków? Chce pan omlet bez dodatków?

Tym razem wybuchnął śmiechem:

– Naprawdę jest pani podobna do mojej matki! Moja matka nie może już słuchać moich kosmicznych historii, chce, żebym je opowiadał psychiatrze i brał leki.

– A skąd pan się wziął? To znaczy tutaj, teraz, skąd się pan wziął?

Jego oczy nagle pociemniały, skrzywił się z bólu i wstał. Złapałam go za rękaw i pociągnęłam na krzesło, aby usiadł.

– Nic mi do tego. Proszę mi tylko podać swoje imię, ja się nazywam Emilie.

Nic nie odpowiedział. Skręcił sobie następnego papierosa, a gdy już był gotowy, zapalił go, mrucząc:

– Emilie... Emilie... to pani jest Włoszką?

– A nie, Emilie to bardzo francuskie imię!

– Emilia to we Włoszech. Emilia-Romania, nie zna pani? Tam się mówi po emilsko-romańsku. Zna pani emilsko-romański? Nie? Mam nadzieję, że pani zna, ja się nazywam Pierre i jestem bardzo wytrzymały, tego nie widać, ale jestem hiperwytrzymały, żyję od bardzo dawna. W poprzednich wcieleniach byłem magikiem, farbiarzem i specjalistą od przyrządzania sosów, tak, sosów. W pewnym zamku w Touraine. Maleńkim zamku.

Jego komórka zadzwoniła. Nawet na nią nie spojrzał. Pomyślałam o jego matce. O oddziale, który dziś rano musiał ją poinformować o ucieczce syna...

– Pierre jak?

– Pierre.

– Zgoda. Gdzie mam pana zawieźć?

– Zostanę tutaj, podoba mi się. Albo może nie... Jadę do Indii, ale mam mnóstwo czasu.

Dzwony zaczęły wydzwaniać południe i dzwoniły długo, wybiły dużo więcej niż dwanaście koniecznych uderzeń. To było ostrzeżenie: święta godzina posiłku, szacunek dla czasu.

Bardzo młoda dziewczyna o długich nogach i krótkim tułowiu, matowej cerze i długich brązowych włosach podeszła, by przyjąć zamówienie. Nie patrząc na nas, nie odzywając się, obojętnymi, precyzyjnymi ruchami kładła na stole nakrycia, stawiała szklanki, karafkę z wodą i chleb. Skupiała na tym całą swoją uwagę, choć pełną rozdrażnienia, gorączkowej nerwowości. Pierre chwycił ją za nadgarstek, patrzyła na niego krótką chwilę, po czym wyrwała rękę.

– Strach jest wrogiem szczęścia – powiedział do niej.

– Właśnie! – odparła i odeszła w głąb sali. Jej chude ciało sprawiało wrażenie, jak gdyby bardzo jej ciążyło, szurała stopami po podłodze. Pierre podniósł się z krzesła i po chwili stanął przed nią:

– Usiądź z nami, zapraszam cię!

Popatrzyła na niego ze znużeniem, sprawiała wrażenie, że pracuje w tym zawodzie od wieków i już wszystko widziała, nikt ani nic nie mogło jej zaskoczyć.

– Pracuję.

– Pracujesz? Pracujesz i nie możesz ze mną rozmawiać, tak?

– Tak.

Spróbowała go ominąć, ale był szybszy i znów zastawił jej drogę.

– Będę pracował z tobą!

– Spadaj!

– Daj mi fartuszek, notesik, będę pracował z tobą! Porozmawiamy, pracując! I nawet będziemy pogwizdywać, pracując!

Właścicielka, bardzo niska kobieta, której głowa ledwie wystawała ponad ladę, podeszła do dziewczyny. Bez uprzedzenia wymierzyła jej policzek.

– Mam tego dość, Jennifer. Mam tego naprawdę dość, uciekaj!

Jennifer zamknęła oczy dokładnie w chwili, gdy dostała w twarz, po czym odeszła tym samym zmęczonym krokiem w stronę kuchni. Klienci, stali bywalcy, ledwo na to wszystko patrzyli. Niektórzy podnosili na nas wzrok, tak jak patrzy się czasem na włączony telewizor, będąc zajętym czymś innym. Powiedziałam Pierre'owi, że pójdę porozmawiać z właścicielką, żeby poczekał na mnie w samochodzie, to pojedziemy dalej. Ogarnął spojrzeniem salę, po czym wybiegł.

– Nie wstyd pani, że uderzyła pani inną kobietę?

– To moja córka, po co się wtrącasz?

– Bije ją pani tak sobie, po prostu dlatego że jakiś klient z nią rozmawia?

– Klient? Ach tak? No to widać, że go nie znasz! Zabrałaś go do samochodu jako autostopowicza, tak? Jeżeli jeszcze raz zbliży się do Jennifer, to go zabiję!

I wróciła do pracy, jak gdyby nic się nie stało, rutyna. Szukałam wzrokiem Pierre'a, lecz nigdzie go nie było. Zajrzałam do kuchni, ale nie było tam też śladu dziewczyny. Na naszym stoliku na zewnątrz nic się nie zmieniło, tylko nie było tytoniu Pierre'a, a przysięgłabym, że go nie wziął, gdy zagrodził drogę kelnerce. Rozejrzałam się wokół, nadal go jednak nie widziałam. Zaniepokoiłam się, jak gdybym rzeczywiście była jego matką. Zaczęłam go szukać, jakby miał dziesięć lat. Znali go tutaj. Czy ktoś zadzwonił na oddział? Albo przyjechał po niego? Być może często podejmował takie eskapady i lądował w tych samych miejscach? Ale to ja zaproponowałam ten postój, ten lunch. To ja go tutaj przywiozłam. I zgubiłam.

Znałam dobrze południowe miasteczka z ich wszech-
obecną zmysłowością, upałem, od którego wszystko staje się
bardziej intensywne, zapachem ciał, zawsze trochę słonych,
trochę mokrych (latem na próżno wiązałyśmy wysoko włosy,
żeby nie było aż tak gorąco, a i tak zawsze na karku perlił
nam się pot, krople spływały też po nogach, aż do stóp), to
wrażenie chodzenia po wodzie, poszukiwanie cienia i zawsze
parzące przedmioty: siedzenia w samochodzie, siodełka ro-
werów, asfalt, piasek, kute żelazo na balkonach i werandach.
Oczekiwanie na autobus, spacerowanie w południe, leżenie
na piasku, uprawianie sportu – wszystko było naznaczone
słońcem i związanym z nim zagrożeniem. Nasze ciała wy-
dzielały silne zapachy, ulice, drogi na wsiach były pełne różnych woni, od najsłodszych do najbardziej cierpkich, od zapachu mimozy do odoru smażonej cebuli, od tymianku do
martwej ryby. W ten sposób godziliśmy się na to, że życie jest
pełne pomieszania, a najlepsze łączy się w nim z najgorszym.
Nie było czyste i sterylne. Było do wzięcia. Na żywo. Na su-
rowo i bez wykrętów. Na targowiskach było głośno. Na

plażach było głośno. Chłopcy gwizdali na dziewczyny. Dziewczyny śmiały się donośnie. Motocykliści jeździli bez tłumików. Na podwórkach grały radia.

Ale u mnie okiennice były zamknięte.

A wewnątrz mnie – oczekiwanie na Dario.

*

Nie wiem, czy to za sprawą cudu, czy braku świadomości moi rodzice pozwalali mi go odwiedzać. Może byli pod wrażeniem zawodu jego ojca, a przy tym spokojni, że skoro matka jest w domu, to nie dopuści do tego, co mogłoby się tam wydarzyć.

Jeżeli chodzi o mnie, ciągle trenowałam, żeby nie mdleć. Ćwiczyłam patrzenie na Dario. Uważne patrzenie, tak żeby o tym nie wiedział. Byłam jak źrebak, którego się ujeżdża, ale to ja sama go ujeżdżałam, uczyłam się kroków i rytmu, w jakim trzeba je stawiać. Poznawałam jego spojrzenie na sobie i sposoby odpowiadania na nie, uczyłam się przez naśladownictwo, używałam jego słów, podzielałam jego poglądy, a także ośmielałam się na niektóre gesty: zdjęcie włosa z jego swetra, poprawienie mu kołnierzyka, uchwycenie go za ramię, aby się nie potknąć, i głęboko przy tym oddychałam, bo moje ciało mi się wymykało, traciłam kontrolę i panowanie nad tym, co naturalne. A potem zaczynałam od nowa. Od nowa. Od nowa. Za każdym razem trochę swobodniej, trochę mniej gwałtownie, coraz rzadziej ryzykując zawał serca.

Widziałam dziewczyny przyklejone do niego, biodro przy biodrze, usta przy ustach, i banalność pocałunków, które miały być „dobre" jak w kinie, jak w telewizji, jak między dziesięciolatkami z sąsiedztwa. Wzorcowa zmysłowość, przedmiot całego systemu porównań, których dokonywało się w małych sypialniach, w czasie przerw w szkole, w rozmowach nowicjuszek. Żadna z tych dziewcząt nie odważyłaby się powiedzieć: „nie wiem". Wszystko chciały zrozumieć. I dobrze wypaść. Widziałam, jak się do niego kleją, i było mi ich żal, tego, że nie boją się upadku. W końcu zaczęłam pysznić się tym, że ja nie mieszczę się w kategorii zwykłego flirtu, lubiłam to niebezpieczeństwo, o które się ocierałam, a które im nigdy nie będzie zagrażać. Więc zostałam ich powiernicą i doradcą, z całą swoją niewinnością słuchałam ich i mówiłam, co mają dalej robić, pomagałam odpowiadać na zaloty, zaczepić chłopaka, zaplanować randkę, kłamać, oszukiwać, dzwonić, pisać listy... Tak dużo napisałam w ich imieniu do Dario, tyle głupich słów, zbędnych uczuć, żądań, które go nic nie obchodziły, wiedziałam o tym, gróźb, których nie rozumiał, tyle porywów i uniesień, które równocześnie były pomyłkami. Nie grał w tę grę, bo nie był oszustem. Był na zawołanie, gdy ktoś go chciał. Nie rozumiał sekretów, podstępów, wymyślonych historii i problemów stwarzanych w nadziei na przeżycie czegoś i nic go one nie obchodziły. Widziałam u niego czasem w koszu na papiery listy, które wcześniej dyktowałam, a on wyrzucał je, nawet ich nie gniotąc ani nie drąc, po prostu wyrzucał. Znałam ten jego gest, tę nonszalancję, z jaką zwyczajnie upuszczał kartkę na dno kosza, to roztargnienie, które stanowiło również o jego elegancji. Śmiałam się mimo woli. Był księciem, którego pojawienie bierze się za dobrą monetę, a który znalazł się tam tylko przez przypadek.

*

W pierwszych dniach czerwca poszliśmy się kąpać. Dla mnie był to nowy etap nauki, próba sił, na którą czekałam od dawna. Trochę się upierałam, aby mama kupiła mi kostium dwuczęściowy, taki chciałam. Nie odważyłam się spróbować bikini, bo od razu byłoby wiadomo, po której stronie jestem, i dostałabym natychmiastowy zakaz wychodzenia z domu. Nawet biorąc pod uwagę moje groźne dla matki dojrzewanie, nawet przy wsparciu, a może przede wszystkim przy wsparciu cioci Suzanne o bikini nie mogło być mowy. Było zarezerwowane dla biednych, pospolitych dziewczyn z plebejskim akcentem z Marsylii i dla rozebranych tancerek, które nosiły do niego tylko wysokie obcasy, ozdoby ze strasu, szminkę i świecące cekiny na udach, czyli to, co razem z bikini tworzyło kostium striptizerki.

Mój dwuczęściowy kostium miał taką dziwną właściwość, że gdy siedziałam, przypominał jednoczęściowy. Musiałam stać i dzielnie wyciągać ramiona do nieba, żeby ktokolwiek zdał sobie sprawę, że między moim pępkiem a żebrami jest wolna przestrzeń. Dół stanowiły szerokie szorty, w których moje biodra wyglądały, jakby były w gipsie, a góra przykrywała i miażdżyła moje piersi, jakby ktoś próbował zahamować napływ mleka. Było to ohydne. Ale realizowałam swój cel. Wystąpię topless. Nie miałam nic do stracenia i musiałam się wreszcie wyzwolić w jakikolwiek sposób spod matczynej, katolickiej i papieskiej dominacji.

*

Powiedziałam Dario, że lubię plażę w Cassis. Było to całkowitą nieprawdą. Woda w Cassis jest lodowata, ale zatoczki miały być moimi sprzymierzeńcami, dając możliwość ukrycia się przed innymi. Nie miałam ochoty leżeć na plaży w Lecques albo w Carry obok hordy dziewczyn w bikini i Dario, który ze swoją milczącą, tajemniczą urodą wyglądałby tam jak młody chłopak ze *Śmierci w Wenecji* i robiłby wrażenie nawet na najstarszych plażowiczach. Postanowiłam, że tego popołudnia tylko ja będę na niego patrzeć. I zrobię kolejny krok w jego stronę. Świat zamknie się nad nami i niech wszyscy dadzą nam spokój. Dosyć imprez i wolnych tańców, rumu z colą, podłej marihuany, głosów przechodzących mutację, nastolatków wyczerpanych oczekiwaniem, podobnych do siebie języków, warg, rąk, dość tych grupowych inicjacji, plemiennych uczuć.

*

Aby zejść na plażę, musieliśmy przejść kawałek laskiem sosnowym. Otoczenie dostroiło się do moich emocji, było mi sucho w gardle, słońce przenikało między sosnami jak cienkie ostrza nagrzane w ogniu, ziemia była pokryta kurzem i kolcami, małymi kamyczkami, potłuczonymi muszlami i odłamkami skał, które skruszył czas, a ja cała byłam jakby z odprysków, z nieładu i gorąca. Znajdowałam się w swoim ciele i trochę nad nim, widziałam wyraźnie, jak idziemy z Dario w stronę zatoki, wiedziałam, co się tam wydarzy, byłam świadoma tego, że niedługo nie będę „nigdy całkiem ta sama, ni całkiem zmieniona"*, i uśmiechałam się do niego nowym uśmiechem, bardziej czułym, prawie rozbawionym, na który odpowiadał, przygryzając nieco wargi. Po raz pierwszy widziałam go zawstydzonego. Wzięłam go wtedy za rękę i szłam w dół, trochę trzymając się jej, trochę czepiając gałęzi drzew. Pomiędzy nimi byłam bezpieczna jak nigdy. Moje życie mogłoby się na tym zatrzymać. Między niebem a morzem. Między drzewami a Dario.

---

* P. Verlaine, *Moje zwykłe marzenie*, [w:] tegoż, *Wybór poezji*, tłum. Z. Przesmycki, Wrocław 1980.

W małej zatoczce brakowało cienia, zalewało nas światło. Było jałowo białe, a kamyki gorące jak świeże bułeczki. Morze, jak gdyby stworzone z samych refleksów, łagodnie się kołysało, a my staliśmy u jego stóp, bawiąc się najczystszą chwilą naszego życia.

Mój kostium pachniał nowością, był sztywny, założyłam go bezpośrednio pod spódnicę, a gdy zrzuciłam ją na ziemię, Dario wszedł do wody. Stał tam, przypatrując się swoim stopom w falach, pianie morskiej, widziałam, jak jego ramiona unoszą się i opadają, jak gdyby głęboko wzdychał. Wyglądał, jakby rysował coś palcami stóp na piasku, odsuwał trochę algi i muszle, a także moment, gdy będzie musiał przestać zachowywać się tak, jakby mnie tam nie było.

Podeszłam do niego w swoim zaimprowizowanym kostiumie „jednoczęściowym", nie wiedząc, co myśleć o moich maleńkich, białych piersiach, na które nikt nigdy nie patrzył.

Podniósł głowę w moją stronę, potem popatrzył na morze z ręką nad czołem, aby osłonić przed światłem oczy, w których odbijał się błękit nieba. Kochałam ten gest, tę rękę na czole, ale ponieważ nic nie mówił, ja też nic nie mówiłam. Patrzyliśmy na morze, jakbyśmy je widzieli po raz pierwszy, w milczeniu, bez ruchu, bez słowa o żaglówkach, o barkach rybackich, o wzgórzach, i trwało to długo, patrzyliśmy na morze i nie wiedzieliśmy, co z tym zrobić. Powtarzałam w głowie zdania, które mogłabym wypowiedzieć, abyśmy stali się trochę bardziej normalni, mniej uroczyści, bardziej tacy jak wcześniej: „Za zimna, żeby się wykąpać, nie?", „Pływałeś kiedyś żaglówką?", „Kiedyś płynęłam promem", ale nie mogłam nic powiedzieć. Patrzyłam na słońce skąpane w Morzu Śródziemnym i widziałam, jak Dario tańczy, łagodnie się porusza, zanurzając palce w mokrych włosach dziewczyn, które obracały językiem, licząc sekundy. Widziałam Dario na ulicach, w jego pokoju, bawialni, w kabinie u sprzedawcy płyt, widziałam, jak Dario czeka na mnie na placu, i nagle, w ogóle nie myśląc o tym, co robię, przesunęłam palcem wzdłuż jego pleców, powoli i precyzyjnie. Poczułam, że miejsce nad jego pośladkami wyżłobiło się, poczułam jego zaskoczenie i drżenie, ucieszyło mnie to, a ponieważ nic nie mówił, zaczęłam od nowa, tym razem wszystkimi palcami, kładąc otwartą dłoń na jego chudych ramionach, na skórze hołubionego syna, miękkiej, nieco białej. Nie miałam już żadnych zdań w głowie, nie było żaglówek ani wzgórz, tylko oczekiwanie na to, co nastąpi, i pojawiająca się świadomość, że właśnie rozgrywam tę partię. On spuścił głowę, włosy zaczęły go łaskotać i chyba właśnie to obudziło moją zazdrość. Delikatnie rozgarnęłam jego włosy, wzięłam w dłonie jego twarz, zachowywał się tak ulegle, że było to proste, i musnęłam wargami jego wargi. Wreszcie na siebie spojrzeliśmy spod przymkniętych powiek. Uśmiechnął się, więc zrobiłam to znów, zatrzymałam się na trochę dłużej, z zamkniętymi ustami, i zrozumiałam, że on nie chce być zręcznym chłopcem, autorytetem w dziedzinie flirtu, tylko chce być hołubiony i zaskoczony. Nie wiedziałam, jak to zrobić. Nie przewidziałam, że tak mi się odda, nie miałam żadnego doświadczenia i próbowałam przypomnieć sobie gesty, które gdzieś widziałam, o których czytałam, słyszałam, niekoniecznie przystające do tego, co miałam ochotę zrobić, ale do pewnego stopnia bez wątpienia niezbędne.

Położyłam nasze ręczniki pod pinią, trochę w cieniu i w ukryciu, a kiedy do mnie przyszedł, położyłam się obok niego i już się nie baliśmy.

*

Nie umiałabym dzisiaj dokładnie opisać, co nastąpiło, kłamałabym, gdybym to robiła, a poza tym jakie to ma znaczenie. To była nauka przyjemności we dwoje, pełna dobrej woli i niezręczności, nieco gwałtownej śmiałości i porywów czułości, które dodawały nam odwagi. Chcieliśmy, żeby wszystko wyszło dobrze, i baliśmy się, że nie będziemy szczęśliwi. Byliśmy równocześnie dawni i nowi, pełni uprzedzeń, rzeczy wyuczonych, i jeżeli nie wiedziałam prawie nic o rozkoszy mężczyzny, to miałam świadomość, że wkraczam do świata, którego nigdy nie opuszczę. Chciałam tego świata. Mówił mi, że życie przestanie być takie przewidywalne i pełne rozsądku.

Na tej plaży w Cassis latem 1976 staliśmy się inni od wszystkich. Byliśmy wyniośli i dumni z siebie.

Czasem wracają do mnie odpryski tego dnia i dni, które przyszły potem. Czasem w moim życiu dorosłej kobiety, w mojej determinacji pojawia się nagle jakiś zapach, dźwięk, czasem odwracam się na ulicy z byle powodu, czasem czuję tremę, oczekiwanie, chęć odnalezienia tych lat równowagi, mimo że od tamtego czasu nauczyłam się być ostrożna. Nieufna. Nauczyłam się unikać ciosów, a także je przewidywać.

I jeżeli ten pięćdziesięcioletni Dario, którego spotkam, też się tego nauczył, po raz pierwszy będziemy skrępowani, powiemy sobie „dzień dobry", używając odpowiednich słów, nie dowierzając pozorom i zastanawiając się, co mogą skrywać. A jeżeli nawet nie będziemy skrępowani, to jednak nie zmienimy tego, że mamy po pięćdziesiąt lat. Twarze naznaczone małymi bitwami. I tyle chęci.

*

Tamtego dnia w Cassis nasz zapach mieszał się z grą świateł w drzewach i na morzu, z odległymi odgłosami ludzi kąpiących się w sąsiednich zatokach, mieszał się z lepkim gorącem, a my dowiedzieliśmy się, że miłość jest schronieniem. Wszyscy mogliby nas zobaczyć. Ale pozostalibyśmy dla nich tajemnicą. I w zgiełku miast, w tłumie nastolatków, licealistów na szkolnych podwórkach, na imprezach, manifestacjach byliśmy we dwoje niewidzialni, nierozłączni i święci.

Kelnerka oczywiście poszła z Pierre'em i odnalezienie ich po drugiej stronie drogi nie zajęło mi dużo czasu, łapali okazję w przeciwnym kierunku. Zatrzymałam samochód, żeby do nich podejść.

– Jest pan pewny, że tędy do Indii? – zapytałam Pierre'a. Rozśmieszyło go to. Dziewczynę dużo mniej. Przypominała te od zawsze smutne chude istoty z obrzydzeniem i przygnębieniem pogryzające laski wanilii, przybierające fałszywie niewinny wyraz twarzy, który uważają za seksowny. Nie nauczyły się nic o swoim ciele ani swojej twarzy, mogą znieść siebie tylko z daleka, ukrywają się w zbyt ciasnych lub zbyt luźnych ubraniach, takich, które do nich nie pasują, tylko im ciążą lub je ograniczają. Niczego nie oczekują i prawie nie potrafią już płakać, chyba że urywanym szlochem na jakimś filmie dla dzieci (im bardziej jest on naiwny, tym bardziej są nieszczęśliwe), nagłym, przelotnym, zapowiadającym przyszłe nieszczęścia, z których się nie wygrzebią.

– Dokąd jedziecie? Mogę wam pomóc?

– Pani jest niebezpieczna! – powiedziała do mnie Jennifer.

A jego to znów rozśmieszyło… To zdecydowanie nie był już śmiech, to był tik, po prostu sposób na to, żeby zamknąć komuś buzię.

Patrzyłam na nich i zastanawiałam się, co Marc zrobiłby z tą dwójką, gdyby wsiedli do jego taksówki, jaką muzykę by im włączył, jaki przedmiot po nich by zachował. Magik. Farbiarz. Też coś!

– Gdybym była taksówkarzem, wyrzuciłabym was z mojego samochodu – powiedziałam. – A wy możecie jechać, dokąd chcecie, drwiąc z innych, możecie dalej kłamać i błądzić, ja wracam na autostradę i jadę do ludzi, których kocham i którzy mnie kochają, jak mówi poeta. Znacie tego poetę?

I odeszłam w przeciwną stronę, zostawiając ich z rozdziawionymi ze zdziwienia ustami.

Śmiejąc się, wsiadłam do samochodu. Skręciłam w pierwszy wjazd na autostradę, który wskazywał drogę do Marsylii i do Włoch, i uznałam, że życie jest piękne.

Zanim odwiedziłam Christine w Venelles, wynajęłam pokój w Aix. Moje małe prowincjonalne miasteczko było teraz bogate i kwitnące, świadome tego, że jest „śródziemno-morskie" i że się bawi, stało się pyszne i narcystyczne. Całkiem jak dziewczyny, które tracą świeżość, bo za często mówi się im, że są piękne.

Oczywiście sklepu sprzedawcy płyt już nie było, a staruszki od dawna nie miały za co opłacić mieszkań na starym mieście, na które teraz mogli sobie pozwolić tylko młodzi ludzie o wysokich dochodach, drogerie i sklepy z materiałami zostały zastąpione przez salony z luksusowymi ubraniami. Teraz było to miasto festiwalu muzycznego i podziemnych parkingów, więzienie przeniesiono dalej, na równinę, na dawnych polach uprawnych stały centra handlowe. Aix się rozrosło, a przyroda wycofała się jak osuszane morze.

Podobało mi się to. Nie było w ogóle miejsca na nostalgię, nigdzie nie odnalazłam swoich śladów i o ile pamięć jest niepoukładana i sprawiająca niespodzianki, to Aix, przeciwnie, było czystą i zorganizowaną powierzchnią, gdzie nic już nie jest możliwe. Nagle poczułam radość z tego, że Dario ma pięćdziesiąt lat. Że przeszedł przez swoje życie i to, co zostało za nami, nigdy już nie będzie takie samo. Mieliśmy szczęście kochać się w małym, niewinnym miasteczku, które spłonęło po naszym wyjeździe, i zachowaliśmy je w sobie, pod skórą. Tajemnie naznaczeni.

*

Nieczęsto przyjeżdżałam odwiedzić Christine w Venelles, w ośrodku dla upośledzonych dorosłych, gdzie została przyjęta, gdy wyjechałam z domu. Miała wtedy dwadzieścia trzy lata i krzyż, jakim była dla naszej matki, beze mnie stał się ciężki jak krzyż Chrystusa na Golgocie. Matka nie mogła już mówić „moje córki", moja normalność nie maskowała już upośledzenia Christine i gdy wyjechałam, wszystko, czego nie chciała do tej pory widzieć, zaczęło ją atakować. Bo nie wystarczało, jak lubiła myśleć, pilnować Christine. Trzeba ją było kochać. Co czasem było łatwe, a czasem wymagało cierpliwości, której mama nie miała. W ciągu swoich ostatnich miesięcy w domu coraz częściej słyszałam, jak ojciec wspomina „okno" i już nawet nie czekał, aż zostaną z mamą sam na sam, żeby o nim przypomnieć. Wymawiał to słowo tak, jakby był trochę skruszony, a trochę wykorzystując przeciwnika, niczym pan wobec niewolnika, co sprawiało wrażenie, że ją szantażował. Działało za każdym razem. Za każdym razem się bała. Wstydziła się. Miała dwadzieścia lat. Czy po narodzinach Christine chciała popełnić samobójstwo? Czy zamierzała zabić dziecko? Szantaż był w każdym razie jedyną władzą, jaką ojciec miał nad nią. Nigdy nie zdobył jej miłości. Ich związek, obietnica złożona umierającemu, nigdy nie miał początku, nigdy nie był „historią". Nie opowiadali nam, jak inni rodzice swoim dzieciom, o tym, jak się spotkali i jak ich matka na początku flirtowała z innym, tak, tak! I trzeba było ją zdobyć, a dziadek nie był łatwy, trzeba było się zalecać i włożyć w to całe serce. Oni byli z tych, którzy patrzą na siebie czterdzieści lat później i widzą w tym drugim własną klęskę, fiasko nie do naprawienia, które śmierć zdmuchnie jak dymiącą świecę.

Kilka miesięcy po moim wyjeździe Christine wpadła w depresję, którą moi rodzice określali najpierw jako „fochy", potem jako „przejściowy smutek", a po niedługim czasie było już bardzo źle. Płakała codziennie, nie spała i wymiotowała wszystkim, co gotowała jej moja mama, przestraszona, że ma za córkę ten niedający się kontrolować mechanizm, tę podporę starości, która ją zdradza i staje się kłębkiem smutków, którego nie może nawet ofiarować Bogu. Widziałam, jak moja mała siostra zapomina wszystko, czego przez lata razem się nauczyłyśmy, zapomina najprostsze gesty i piosenki, zapomina o radości i o gniewie. Miała w środku małego, dzikiego zwierzaka, który wygryzał ją od środka, pochłaniając każdego dnia trochę jej krwi i duszy. Kuliła się, kurczyła, a kiedy mama zaczęła dawać jej leki, zabrałam ją do tego ośrodka. Powoli, stopniowo przestawała być tą zagubioną istotą wchłaniającą dzień po dniu, godzina po godzinie samotność moich rodziców, przestała być ich zasłoną, a na jej twarz wrócił zbyt wielki uśmiech, wrócił jej donośny głos, uprzejmość, i naprawdę nauczyła się pisać. Po to, aby pisać do mnie listy. Byłam z niej dumna. Pisała „Mimile" drukowanymi literami i „kocham cię" zwykłymi, bo „kocham cię" drukowanymi, mówiła, to na Dzień Matki, nie dla tych, którzy kochają się tak jak my.

*

Gdy wjechałam samochodem na małą, wysypaną żwirem dróżkę prowadzącą do ośrodka Niebieskie Motyle, wiedziałam, że odwiedziny Christine były drugim celem, po spotkaniu z Dario. Przebywać znów na południu w różowym świetle poranka, w tej surowej światłości, było jak dotykać powietrza, którym oddychałam jako dziecko i nastolatka. Wzruszył mnie widok starej budowli, stojącej jak gdyby poza czasem i poza zasadami, podobnie jak jej mieszkańcy. Nie widziałam Christine od wielu lat. Ułożyłam sobie życie w niewłaściwym tempie i rytmie. Wypełniłam je spotkaniami, które nigdy nie będą tak ważne jak godzina spędzona z nią. Uciekałam od niej. Pozostając tak blisko dzieciństwa, Christine przypominała mi wszystko, o czym chciałam zapomnieć, niosła w sobie lata spędzone w naszej rodzinie, młodość w gorsecie nudy i przykazań, próby ucieczki przez wyobraźnię i nędzne kłamstwa, zaledwie wyrwy w murze codziennego więzienia, i oczekiwanie, mimo wszystko głupią nadzieję, że pewnego dnia to się zmieni. Że pewnego dnia moja matka i mój ojciec się pokochają i będziemy owocem piękna ich uczuć. Gdyby tylko ich spojrzenia mogły nas oświetlić. Pragnąć nas. Dziwne, że używa się tego samego słowa, mówiąc o dziecku i o miłości. Ani pragnienie dziecka, ani pragnienie innego człowieka nie były częścią naszego życia. Żyłyśmy obowiązkiem. Christine nie chowała urazy. Jej dodatkowy chromosom miał czujniki wyłapujące lepsze momenty, dobre chwile, umiał je rozpoznać. Pewnie dlatego że trudniej niż nam było jej szybko chodzić, dobrze słyszeć i doskonale widzieć. Miała tę przeszkodę, która zmuszała ją do powolności, i wtedy widziała to, co znajdowało się obok głównego nurtu, obok czego my przechodziliśmy obojętnie.

*

Nie zapowiedziałam swojej wizyty. Oczekiwanie było często dla Christine nie do zniesienia, podniecenie przemieniało się w lęk i sprawiało, że stawała się agresywna. Przyjechałam przed południem, gdy już sprzątnięto po śniadaniu, a w korytarzach unosił się jeszcze zapach czekolady z mlekiem, który naznacza poranki wspólnot ludzkich. Plastikowe koszyki na chleb na wózkach z kompozytu, gąbki w zniszczonych miskach i krzesła, które robią dużo hałasu, gdy się je przesuwa po zimnej podłodze, którą zawsze trochę czuć środkiem do czyszczenia zawierającym chlor. Ale słyszałam już odgłosy ich życia, nawoływania wychowawców, muzykę puszczaną na piętrze, dzwonek telefonu, którego nikt nie odbierał.

Miałam wrażenie, że tego dnia panowało tam jakieś szczególne poruszenie. Wydawało się, że każdy ma jakiś precyzyjny cel, zmierza do czegoś ważnego. Christine była w sali prac ręcznych. Wycinała girlandy z czerwonej bibuły wielkimi nożycami z zaokrąglonymi czubkami, wysuwając przy tym koniuszek języka, pochylona nad stołem, przykładała się do swojego zadania. Nagle w jej plecach, które się zaokrągliły, w jej ciężkich piersiach, krótkich siwych włosach, w jej grubych okularach zobaczyłam, że moja mała starsza siostra jest po prostu stara. Nie śpiewała już piosenki Mike'a Branta, trzymając w ręku skakankę. Nie kołysała biodrami, śmiejąc się grubym głosem. Siedziała poważna i skupiona, a jej ciało nie miało już kształtu, tworzyło zwarty blok. Zobaczyłam plamy na jej rękach i antyżylakowe pończochy na krótkich nogach, zobaczyłam, że ma pięćdziesiąt trzy lata i z trudem wycina girlandę. Dziewczyna siedząca obok, podając jej tubkę kleju, powiedziała do niej coś, czego nie usłyszałam, i Christine wypuściła nożyce. Podniosła głowę i w sali rozległ się jej śmiech, wielki uśmiech przepołowił jej płaską twarz, roześmiała się i jej starość nagle się ulotniła.

Potem nagle przestała się śmiać. Znów wzięła nożyce, skoncentrowała się, a ja poprosiłam wychowawcę, aby jej powiedział, że jestem.

Odwróciła do mnie twarz... Zdziwioną. Zdumioną. Jakby właśnie wynurzyła się spod wody. Kilka razy otarła dłonie o biodra jak gospodynie, które chcą trochę oczyścić ręce, zanim się z kimś przywitają, mechaniczny gest mający ukryć poruszenie. Stała nieruchomo. Patrzyła na mnie i nerwowo wycierała ręce o ciężkie biodra. Podeszłam do niej i długo, przez całą wieczność trzymałam ją w ramionach. Wciąż trochę dokuczliwie pachniała potem, skórką mandarynki, a także wełną, co mnie uspokajało. Była masywna, a jednak delikatna. Powtarzała, płacząc: „nie płaczemy, nie, Mimile, nie płaczemy". Kręciłam przecząco głową, z twarzą ukrytą w jej szyi, i nie wiem, kto bardziej drżał, ona czy ja.

*

Wyjście do parku dobrze nam zrobiło. Wyjaśniła mi, że po południu miały być urodziny Mariette. To była pensjonariuszka, którą bardzo lubiła, bo przypominała jej mnie.

– Przypomina ci mnie?

– Jest do ciebie podobna.

– Fizycznie?

– Co?

– Chcesz powiedzieć, że moja twarz jest podobna do jej twarzy?

– No nie, ty nie jesteś autystyczna, Mimile.

– To dlaczego kojarzy ci się ze mną?

– Zawsze chce gdzieś iść. Zawsze chce, no wiesz... zawsze mówi: „chodź, Christine, przejdziemy się".

– Ja jestem taka?

– Nie jesteś jak rodzice, nie?

– Przychodzą niekiedy cię odwiedzać?

– Och, nie… nie.

– Pamiętasz, gdy tu przyjechałaś, co mówił tata?

– Nie.

– Nie mógł się nadziwić, że jesteś w ośrodku, który się nazywa Niebieskie Motyle, nie pamiętasz? Mówił zawsze: „motyle nie przenoszą żadnej choroby, dobrze ci tam będzie".

– Nie. Nie mówił tak. Mówił, że motyle się depcze, że się ich nie widzi i depcze je, to straszne. Gdy myślę o tym, to się denerwuję.

– To w zimie, gdy zapadają w sen. Chowają się wtedy pod ziemią, nie depczesz po nich, przeciwnie, gdy chodzisz zimą po ziemi, powodujesz małe trzęsienie, wiesz, w ten sposób kołyszesz śpiące motyle.

– Nie ma wiadomości od Ringo.

– Ringo, męża Sheili? Nie, nie ma wiadomości.

– Od Sheili też nie ma wiadomości, nie?

– Nie, niewiele.

– Więc zostajesz tu?

– Nie, jadę do Genui zobaczyć się z Dario… Pamiętasz Dario?

– Nie.

– Nie widziałam go trzydzieści lat.

– Och, nie poznasz go, a on nie pozna ciebie, napisz na kartce swoje imię, wiesz, załóż sobie tabliczkę na szyję.

– Ale ja go poznam.

– Jesteś sprytna, co, Mimile?

*

Przeżyłyśmy razem dzieciństwo, ale była świadkiem prawie bez pamięci. Co wieczór opowiadałam jej o Dario. Nazywałyśmy to „historią", dopominała się o nią i słuchała jej jak radiowej powieści w odcinkach albo bajki. Nigdy nie zmyślałam. Opowiadałam jej, co się wydarzyło w ciągu dnia. Jeżeli się z nim widziałam, mówiłam jej, jak na siebie czekaliśmy i gdzie, jak był ubrany i jaki był piękny. Marzyła o Dario jak o księciu z bajki, o bohaterze z filmu. Nie opowiadałam o intymnych szczegółach, mówiłam:

– Więc, gdy zobaczył, że idę…

– Miałaś tę ładną sukienkę?

– Tak, miałam tę ładną sukienkę, nie przerywaj mi…

– A jutro założysz dżinsy?

– Tak, nie można ubierać się tak samo dwa razy z rzędu.

– No, nie.

– Kiedy zobaczył, że idę W TEJ ŁADNEJ SUKIENCE…

– Tak.

– Cicho! Podszedł do mnie, spokojnie, o tak, jakby powoli zaczynał tańczyć, zupełnie powoli, na chodniku, i mnie pocałował.

– W usta?

– W usta.

– Przy wszystkich?

– Przy wszystkich.

– Mimile?

– Tak.

– On za tobą szaleje.

Kochała go równie mocno jak mnie, we właściwy sobie, intensywny sposób, czasem ulotny, ale dzisiaj go nie pamiętała. Nie mogła nic o nim powiedzieć. Nadal była moją małą siostrą, ale odchodziła w stronę przedwczesnej starości, jej lata biegły szybciej niż moje. Życie zawsze było dla niej trudniejsze, musiała wysilać się przy najprostszych gestach, a wszystkiego, czego się nauczyła, nauczyła się z głęboką wiarą.

*

Po południu świętowaliśmy sześćdziesiąte urodziny Mariette. Na małej estradzie ozdobionej girlandami z czerwonej bibuły wisiał transparent z wymalowanym na zielono napisem „WSZYSTKIEGO NAJLEPSZEGO". Obok niebieską kredą dopisano imię „MARIETTE". Trzydzieści razy w ciągu trzydziestu lat napisano tam kredą „CHRISTINE", a mnie nigdy przy tym nie było. Miała nową rodzinę, przyjaciół, którzy byli do mnie podobni, jak mówiła, i w końcu żyła otoczona cierpliwością.

Mariette była bardzo niska, zadziwiająco drobna i nie przestawała kiwać ręką jak królowa, która pozdrawia swoich podwładnych, śmiejąc się ze szczęścia. Gdy tylko napotkali jej wzrok, wciąż jej powtarzali: „wszystkiego najlepszego", dokładnie tak, jakby mówili jej to po raz pierwszy. A ona tak to odbierała. Poruszała ręką za każdym razem, zachwycona i zaskoczona. Christine była dumna z tego, że tam jestem, przedstawiała mnie wychowawcom, przyjaciołom, brała mnie za szyję i mówiła z radosną dumą: „to moja siostra!", i dodawała: „jesteśmy jedną drużyną, co, Mimile?". Jeden z pensjonariuszy zapytał mnie, czy jestem tą „siostrą z Paryża", a potem powiedział, że w ubiegłym roku widzieli w Paryżu wieżę Eiffla, pojechali do Paryża i cały czas padało, i dużo śpiewali w autokarze, a Christine w ogóle nie wychodziła z pokoju w schronisku i nie widziała nic poza obwodnicą i autostradą.

*

– Dlaczego do mnie nie zadzwoniłaś? Dlaczego nie powiedziałaś mi, że jesteś w Paryżu, przyjechałabym do ciebie, przyszłabyś do mnie! Dlaczego to zrobiłaś?

– Jest ci przykro?

– Tak, jest mi bardzo przykro.

– A twój mąż jest miły?

– Przecież go znasz, Christine. To Marc, widziałaś go już.

– Tak.

– Przyjechaliśmy do ciebie taksówką i włączył ci kasetę Mike'a Branta na promenadzie Mirabeau, pamiętasz?

Wzięła głęboki wdech, skupiła się na swoich wspomnieniach, patrząc na mnie małymi oczkami krótkowidza, po czym powiedziała:

– Prawdziwe taksówki mają licznik.

– Ach tak?

– Tak. Wiem.

– Ale on ci zafundował ten kurs, to był prezent dla ciebie, bo jesteś moją siostrą.

– Prawdziwe taksówki mają medaliki.

– Medaliki? To znaczy na lusterku?

– Tak. Medaliki. A nawet krzyże.

– Myślisz, że mój mąż nie jest prawdziwym taksówkarzem, tak?

– Nie. To nie to.

– Myślisz, że cię nie znam? Myślisz, że nie widzę, jak kręcisz? Ech! Powiedz, co mi masz do powiedzenia, dobra?

– Jesteś sprytna, jesteś sprytna!

– No właśnie, ty też jesteś sprytna, więc powiedz mi, co jest nie tak z taksówką mojego męża, no mów!

– To nie z taksówką jest coś nie tak. Tylko z mężem.

– Ale teraz to jesteś złośliwa. Sprawiasz mi przykrość, zdajesz sobie z tego sprawę? Chcesz powiedzieć, że nie przyjechałaś mnie odwiedzić w Paryżu, bo nie lubisz mojego męża?

– Mimile. Czuję, że się zaraz zdenerwujemy.

*

O tak, byłam zdenerwowana. Posiadała taką umiejętność, że mnie denerwowała. To niewiarygodne, ile trzeba było mieć cierpliwości do Christine, i niewiarygodne, jak się już od tego odzwyczaiłam. Zraniła mnie. Swoją gwałtowną szczerością, złośliwymi skrótami myślowymi i naiwnością, która była bliska bezlitosnej przenikliwości.

Wyszłam do parku. Zostawiłam ich razem z niekończącymi się, powtarzanymi w kółko życzeniami „wszystkiego najlepszego" dla Mariette. Miałam dość ich łatwego szczęścia, ich prostej radości. Zabrakło mi dystansu osoby dorosłej, Christine udało się mnie zranić jednym słowem, jak wtedy gdy jest się dzieckiem, a nasze oczekiwanie zostaje zawiedzione, gdy czekamy niecierpliwie na tyle rzeczy, a dostajemy tak mało. Ale co sobie myślałam? Że jestem zbawcą Christine, że tylko ze mną może być szczęśliwa? Już od dawna nie byłam jej idolem ani punktem odniesienia, PATRZYŁA na mnie, taka jest prawda, patrzyła na nas, na mnie i na Marca. Podczas gdy my naiwnie uważaliśmy, że ją zadziwimy przejażdżką taksówką po promenadzie Mirabeau, ona nas oceniała, i para, jaką tworzyliśmy, nie przypadła jej do gustu.

Poprosiłam o papierosa animatorkę, która paliła, siedząc na schodkach ze szklaneczką wina musującego w ręku. Od lat nie paliłam.

– Jest pani siostrą Christine?

– Hm.

– Sprawiła jej pani przyjemność, przyjeżdżając.

– Odwiedziny chyba zawsze są przyjemne, prawda?

– Nie.

W parku byli pensjonariusze, którzy w ogóle nie uczestniczyli w święcie, stali trochę z boku, chodzili sami z głowami nieco spuszczonymi, rękami założonymi na plecach albo wiszącymi luźno wzdłuż ciała, jakby przygotowywali się do upadku.

– Wydaje mi się, że Christine ma się dobrze, prawda?

– Okresowo... Czasami... czasem jest trochę nieobecna, trochę... apatyczna, wie pani? Trzeba ją stymulować.

– Często się zdarzają takie okresy?

– Dwa, trzy razy do roku, ale jesteśmy czujni.

– Moglibyście do mnie przecież zadzwonić w takiej sytuacji, dlaczego nie dzwonicie?

– Pani jest daleko, w Paryżu, tak?

– Tak.

Wstałam i też zaczęłam spacerować po parku, aby – tak jak odosobnieni piechurzy – zrobić to, co oni: pogrążyć się w myślach. Cyprysy pachniały niemalże słodko, to był zapach szerokich alei i cmentarzy, zapach zabaw w chowanego, dzieci, pikników z zastawą na sosnowych igłach i przyciągających osy kanapek z szynką, które jadłyśmy, przeskakując z nogi na nogę, pokrzykując piskliwie. „Zamknij buzię! No, zamknij buzię!", wrzeszczała mama. Gdy była mała, jej pies połknął osę i się udusił, bo użądliła go w gardło. Ale nigdy się nie dowiedziałam, jak zjeść kanapkę z zamkniętymi ustami!

Trzeba przyznać, byłam zawiedziona wizytą u Christine i ten zawód powodował lęk przed następnym spotkaniem: co tak naprawdę się wydarzy, gdy zobaczę Dario? Czy to naprawdę on, czy to Dario Contadino umieścił to ogłoszenie? Powrót do miejsc mojego dzieciństwa był po prostu brutalnym sposobem na zrozumienie tego, że wszystko, co przeżyłam, zniknęło, wszystko, co przeżyłam, działo się tylko w myślach i było nieprawdą, fikcją dla tych, z którymi mieszkałam, z którymi codziennie rano wstawałam, z którymi zjadłam tyle posiłków, spędziłam tyle wieczorów, tyle razy wyjechałam na wakacje, którym pokazywałam swoje świadectwa szkolne, odznaki narciarskie, karty pływackie, którym wieczorem w kuchni recytowałam wiersze i wzory matematyczne, bo następnego dnia miałam klasówkę, bo następnego dnia trzeba będzie zdać im sprawozdanie, bo następnego dnia nadal będę zależeć od nich, zależeć od jedzenia, picia i ubrania, które mi kupują, od nich będzie zależeć, czy wyjdę, czy będę miała przyjaciół, jak spędzę czas wolny i czy będę realizować swoją pasję. I nagle nic, dwoje staruszków w domu starców, którzy nie pamiętają nawet imion moich córek, ale martwią się, że nie wyszły jeszcze za mąż i że w moim wieku nie jestem jeszcze babcią. To trwa już za długo, nie nadążamy za piekielnymi konwenansami, zmieniamy obóz, zdradzamy swój klan, łamiąc jego najbardziej podstawowe zasady.

Co Dario myślał o mnie? Co zapamiętał, co zostało z tej miłości bez słów, tego związku sprzed słów, z tej pierwszej miłości na świecie? Jak mamy dziś z sobą rozmawiać, my, którzy rozumieliśmy się w ciszy. Nie będziemy się znów kochać, więc jak może wyglądać nasz dialog, o czym mówić i po co?

– Impreza się zaczyna, Mimile!

Christine przyszła po mnie, miała na głowie śmieszny, mały, spiczasty kapelusz z kartonu... Ach, tak... impreza się zaczęła. Objęła mnie za szyję i śmiała się z dumą, cały czas się śmiała, patrząc w niebo, na drzewa, koty wygrzewające się w pustym basenie, starego pensjonariusza, który zasnął na ławce, i pismo dla majsterkowiczów leżące u jego stóp. Ale szła powoli, jak stara kobieta, kształt jej bioder zacierał się, jej kości były prawie zrośnięte z sobą, składała się z jednej części, jak gdyby była wyciosana z jednego kawałka surowego drewna. Nie mówiła do mnie, oddychała z trudem, wydawała ten sam cichy dźwięk co trzydzieści lat temu, gdy myślała, że śpiewa z playbacku, ale z jej gardła zawsze wydobywała się niteczka głosu, niekontrolowane skrzypienie. Więc niespodziewanie ją pocałowałam. Dałam jej ogromnego buziaka w policzek, a ponieważ była

zdyszana, a także wzruszona, powiedziała tylko: „głupia",
i nie uśmiechnęła się więcej. Potrząsnęła trochę głową i jej
spiczasta czapeczka opadła na czoło. Wyglądało to trochę
tak, jakbym obejmowała nosorożca.

*

– Wszystkiego najlepszego, Mariette! – rzuciła z trudem,
gdy przyszłyśmy na miejsce. – Razem z moją siostrą wykona-
my teraz nasz numer – oświadczyła i zaciągnęła mnie na małą
estradę. Wszyscy bili nam brawo, a ja patrzyłam na nich
z przestrachem. Jakiś wychowawca postawił przed nami
piszczący mikrofon, a Christine powiedziała do mnie, wskazując na ekran: „playback się skończył, Mimile, teraz jest
karaoke". Przed nami były dziesiątki radosnych i zdziwio-
nych twarzy, uniesionych ze szczęściem w stronę sceny.
Christine dała mi kuksańca w żebra, zawsze była w tym
bardzo dobra, i od razu się zaczęło, usłyszałam pierwsze
dźwięki orkiestry i Christine bez uprzedzenia ruszyła, za-
śpiewała strasznie fałszywie pierwsze słowa swojej ulubionej
piosenki, czyli „To moja modliiiiiitwa", mrużąc oczy w kierunku ekranu, po którym przesuwały się słowa. Od razu
zaczęłam jej pomagać, próbując śpiewać głośniej niż ona,
żeby nie dać się zmylić, bo niewiarygodnie fałszowała w ba-
sach, ciągnąc na jednej tylko nucie: „Usłysz mój głos, ach,
ach! To moja modliiiiiiiiiitwa! Przychodzę do ciebie, ach,
ach!". Dwa akordy, przy których patrzyła na mnie z ogromnym zdumieniem, po czym nagle ożywiona postanowiła
pokazać wszystkim duet stulecia i śpiewać głośniej ode mnie.
Źle słyszała i nie była świadoma, że tak się wydziera. Śpiewałyśmy dalej, już bardzo spóźnione w stosunku do akompa-
niamentu: „To moja modliiiiiiiitwa, przyjdzie taki dzień, ach,
ach!, to moja modliiiiiiitwa, że świat zmieni się". Byłam już

zasapana, czułam, że nie tylko śpiewamy źle, spóźniamy się, ale przede wszystkim że Christine dokładnie sobie przypomina, co robił Mike Brant, gdy śpiewał. Mike Brant, gdy śpiewał, zawsze wyglądał tak, jakby trochę cierpiał. Odrzucał głowę do tyłu albo na bok, zamykał oczy, a na jego twarzy pojawiał się grymas. Gdy je więc otwierał i patrzył na dziewczyny stojące naprzeciw niego, wyglądał, jakby się właśnie obudził, i uśmiechał się jak anioł, a dziewczyny dokładnie wiedziały, że miłość polega na ratowaniu tego chłopca o boskim ciele, pochodzącego z kraju nadziei. Christine, odrzucając głowę do tyłu, z grymasem na twarzy, oczywiście nie mogła czytać słów na ekranie, a pamięć płatała jej figle. Gdy ja śpiewałam: „na ziemi nowy dzień światło nam przyniesie", ona była już przy: „usłysz mój głos, ach, ach!", więc powtarzałam to po niej, a gdy ona wrzeszczała „zostań przy mnie, ach!", ja próbowałam ją przekrzyczeć słowami „i słońce będzie świecić". Skoro śpiewałyśmy w kanonie, Christine postanowiła wziąć to w swoje ręce. To prawda, że nie dało się naprawdę naśladować Mike'a Branta, nie mając w ręce mikrofonu. W okolicy nie było skakanki, wzięła więc stojący przed nami mikrofon, przez co ja zaśpiewałam „zostań ze mną" w próżnię z coraz mniejszą odwagą. Wydawało się, że na ekranie wciąż widać te same słowa, a ja traciłam wątek, co zresztą nie miało większego znaczenia, bo kto mnie słyszał? Christine dosłownie ryczała: „na świecie bez granic!", a sala patrzyła już tylko na nią. Kołysała wolną ręką dokładnie tak, jak robił to Mike Brant, przygryzała trochę wargi jak on, tak samo poruszała nogą i nagle odmłodniała. Wystarczająco znałam złą stronę jej charakteru, aby nie pozwolić jej dokończyć tego numeru samej, co – wiedziałam – ostro by mi wyrzucała, więc wszystko, co mi pozostało, to wspierać ją i pomagać jej, jak tylko mogłam. Kołysałam się więc obok niej, patrząc jej w oczy tak jak Stone i Charden, i najwyraźniej jej to odpowiadało, lekko kiwała głową, jak gdyby chciała podrapać się kołnierzykiem w szyję, tak jak to robił Mike Brant, śpiewałam „lalala" w tonacji, lecz ona nie zawsze za mną podążała. Gdy piosenka się skończyła, przypomniała sobie też, że Mike Brant schodził ze sceny tyłem, ledwo ją złapałam, gdy jej nogi zaplątały się w sznur od mikrofonu, poprawiłam jej spiczasty kapelusz i ręka w rękę pozdrowiłyśmy publiczność jak wielkie artystki. Byłam cała spocona, wykończona, jakbym goniła Christine nie przez trzy minuty, ale trzy godziny. Sala wiwatowała bez umiaru, niektórzy wołali „brawo Christine", ale dzięki Bogu nie wiedzieli, że istnieje coś takiego jak bisy, i nie wywołali nas ponownie na scenę.

*

– Nie śpiewałaś za dobrze – miała tupet mi powiedzieć.
– Nie? A dlaczego?
– Mike Brant, Mimile, nie śpiewał „świecić".
– Nie? A niby co takiego? Powiedz, proszę.
– Wymawiał „siecić". Nie zapominaj, że był niemy.
I zeszła na salę zebrać wszystkie komplementy, do których miała prawo.
– To niesprawiedliwe, nie? – szepnął głos za mną. Odwróciłam się. Zoé uśmiechała się do mnie, zadowolona z niespodzianki, i nagle wszystko się z sobą zmieszało: radość ze spotkania, obawa, że słyszała nasze śpiewy, zdziwienie, że spotykam ją tutaj. Epoki i miejsca przenikały się w oszałamiającym skrócie, brakowało już tylko Dario i moich rodziców, i nie umiałabym powiedzieć, ile mam lat. Uścisnęłam ją, szepcząc: „moja dzidzia, moja dzidzia, moja dzidzia", nerwowo i zazdrośnie. Pachniała wanilią, miałam ochotę ją połknąć, pożreć, zachować ją na zawsze przy sobie, sama byłam zaskoczona siłą, z jaką ją trzymałam, tym przypływem namiętności,

zaskoczona też tym, że mi jej tak brakowało i nie zdawałam sobie z tego sprawy. Nie broniła się, przeciwnie, na tę sekundę stała się znów moim dzieckiem, bez wieku i bez wstydu, czułyśmy tylko fizyczną potrzebę, niemal bolesną, trwania przy sobie, połączenia, jak wtedy, gdy cała mieściła się w moich ramionach. Nasz uścisk na widoku był dużo bardziej niestosowny niż nasze żałosne karaoke z Christine, ale było mi obojętne, że widzą, jak obejmujemy się na estradzie, że wszyscy mogą uczestniczyć w naszych pieszczotach. Przez jakiś czas jedna od drugiej czerpałyśmy w ten sposób energię. Ale wszyscy czekali na nasze zejście ze sceny, żeby puścić następne karaoke *Poniedziałek w słońcu*. Podejrzewałam, że Christine jest głównym didżejem tej imprezy.

Opuściłyśmy Niebieskie Motyle. Wolałam się pożegnać z Christine, gdy była szczęśliwa i czymś zajęta, zachować ją w pamięci w dobrym nastroju, bo zbyt wiele radości mogło ją doprowadzić do nerwów i płaczu. Silne emocje u niej sąsiadowały z sobą, śmiech graniczył z paniką.

*

Zoé i ja spacerowałyśmy trochę po Aix, powoli, trzymając się za ręce, nie mówiąc nic do siebie, ofiarowując sobie tę chwilę, w której nie liczył się wiek, więc mogłam jeszcze wierzyć, że jest dzieckiem, które trzymam za rękę, kochając równocześnie dorosłą, ładną dziewczynę, jaką się stała, za którą oglądali się chłopcy. Ofiarowywała mi trochę swojego dzieciństwa, ale wszyscy naokoło dawali mi do zrozumienia, że jest dorosłym człowiekiem, mogącym mi za chwilę uciec. Wraz z nią odnalazłam trochę z nonszalancji mojego miasta, bo spacerowałam teraz po nim, niczego nie szukając, żadnego znaku przeszłości, uszczęśliwiona teraźniejszością.

I jeżeli ogłoszenie Dario, o ile to Dario, służyło tylko temu, aby chodzić ulicami, trzymając Zoé za rękę, ta podróż nie była na próżno. Było mi tak dobrze, czułam się taka ufna i beztroska, bez żadnych kłopotów, że jeszcze trochę i uwierzyłabym, że to ja jestem tą małą dziewczynką. Nie podejmowałam żadnych decyzji, nie miałam żadnego konkretnego celu, znów patrzyłam na fontanny, pianę na cembrowinie, brudną wodę wokół, gołębie odchody z takim samym zdziwieniem, jakbym widziała je pierwszy raz, czułam zarówno ich poezję, jak i brud. Miasto rozbudowało się wokół tych studni, choć nikt nie potrzebował już czerpać z nich wody i teraz tworzyły tylko dekorację, służąc do odświeżenia twarzy latem.

Dowiedziałam się, że Zoé często przyjeżdża do Aix. I to, że moje miasto ciągle żyje w spojrzeniu mojej córki, choć mnie tu już nie ma, potęgowało jeszcze wrażenie efemeryczności. Miasto należy do nas, ale nie umiera bez nas, dziecko jest nasze, mówimy o nim, używając zaimka dzierżawczego, ale co wiedziałoby o tym, co mu daliśmy, bez zdjęć, bez opowieści? Wymyśliłoby sobie bez trudu dzieciństwo, w którym bylibyśmy nieobecni.

*

Byłam dumna z tego, że chodzimy tak z Zoé po mieście, ale i tak wiedziałam, że jedną rękę będę miała zawsze wolną: od tak dawna nie widziałam moich trzech córek razem! Nie chodziłam z nimi ulicami miasta od tylu lat. Widywałam je jedną po drugiej, jedną bez drugiej, i to rozszczepione macierzyństwo sprawiało mi większy ból, niż ośmieliłabym się przyznać. Coraz trudniej było zebrać je wszystkie razem, a nasze spotkania zawsze były naznaczone tym przesunięciem. Spotykały się beze mnie i wtedy do mnie dzwoniły,

żeby mi sprawić przyjemność, powiedzieć mi „cześć",
i w tych rozmowach słychać było przymusowy dobry humor,
coś w rodzaju „wszystkiego najlepszego" na urodziny Mariette. Gdy odkładałam słuchawkę, miałam chandrę. Czułam
się ogołocona, trochę zdezorientowana i jeszcze wyraźniej
zdawałam sobie sprawę, jak daleko jesteśmy od siebie z Markiem. Najpierw łączyło nas pragnienie dziecka, potem dzieci,
a ich nieobecność rzucała nas w nieznany świat, w świat
ciągłego „we dwoje", i gdy nie wiedzieliśmy, co powiedzieć,
rozmawialiśmy o nich. Łączyły nas nasze trzy córki, bez nich
nasze więzy się rozluźniały.

*

Poszłyśmy do klasztoru przy katedrze Saint-Sauveur.
Usiadłyśmy na chłodnym kamieniu, bardzo gładkim, w nieco cierpkim zapachu ogrodu, i to miejsce zmusiło nas do
szeptu. Pamiętałam klasztor w letnie wieczory, koncerty
fortepianowe, intensywność i gwałtowność, z jaką muzyka
brała w posiadanie tę przestrzeń, przeznaczoną do tego, by
panowała tu cisza. Życie wdzierało się tu siłą.

– Często odwiedzasz Christine? – zapytałam Zoé bardzo cicho.

– Raz w miesiącu. Nie zadając sobie pytań, prawie z musu,
tak jak się chodzi na siłownię albo do psychoterapeuty, urzą-
dzam sobie raz na miesiąc seans z Christine i nawet jeżeli
„mam lenia", to wiem, że później będzie mi lepiej niż przed!

– Myślisz, że jej mnie brakuje?

– Myślę, że jesteś osiemset kilometrów stąd, to wszystko,
co myślę, mamo.

– Ale mimo wszystko… jest ci lepiej po niż przed… Więc
chodzisz tam, żeby się nie czuć winna. Jak ja.

– Powinnaś wykorzystać to miejsce i iść do spowiedzi!

Roześmiałyśmy się, a nasz stłumiony śmiech przypominał śmiech przyjaciółek pensjonariuszek. Turyści w szortach fotografowali klasztor, po czym odchodzili, i natychmiast zastępowali ich inni w mniej więcej takich samych szortach i robili dokładnie takie same zdjęcia. Świat pełen jest źle ubranych ludzi, którzy się pospiesznie przemieszczają.

Zoé dalej szeptała:

– Wiedziałam, że tu dzisiaj będziesz, powiedziałaś mi to przez telefon, przyspieszyłam o kilka dni moje odwiedziny... Chciałam cię zobaczyć, i chciałam, żebyś mi powiedziała, dlaczego zostawiłaś tatę w waszą rocznicę.

– Ach! Dlaczego zostawiłam tatę! Nie zostawiłam taty, przeczytałam ogłoszenie w gazecie... Nie. Ja... chciałam otworzyć butelkę wina, twój ojciec przywiózł tego pommarda owiniętego w gazetę i w niej przeczytałam to ogłoszenie.

Popatrzyła na mnie ze smutkiem jak dziecko, do którego nagle dociera, że jego matka ma uszkodzony mózg. Czyniła ogromny wysiłek, by sformułować pytania cisnące się jej na usta, zdając sobie sprawę, że porusza się po terenie pełnym min i że moja odpowiedź jeszcze bardziej ją przygnębi, jeśli to w ogóle możliwe. Chciałam ułatwić jej zadanie.

– Jadę do jedynego mężczyzny, którego kiedykolwiek kochałam.

Wstała i wyszła. Na jej miejscu zrobiłabym to samo.

Dario wyjechał z Francji wkrótce po Cassis. Na początku roku szkolnego, we wrześniu, wyjechał do Genui. Ostatecznie byliśmy tylko dwójką dzieci zależnych od swoich rodziców i ich podróży. Rzeczywistość była banalna. Pożegnaliśmy się pewnego wrześniowego poranka, który pachniał już innym czasem, nasza historia odeszła nagle w przeszłość, a my nie mieliśmy żadnego nierealnego planu na przyszłość, nie składaliśmy sobie obietnic, których moglibyśmy nie dotrzymać. Powiedzieliśmy sobie „do widzenia" trochę w pośpiechu, trochę zażenowani, umierając ze smutku, a ja pamiętam każdy szczegół tego rozstania, wszystkie idiotyczne detale bez znaczenia wyryły się w mojej pamięci. Kołnierzyk koszuli Dario, którego róg skrył się pod jego jasnozielonym swetrem, małą krostkę na lewej skroni, a także ciągłe szczekanie psa w jakiejś willi na uboczu, które zagłuszało nasze słowa. Nasze pożegnanie nie miało w sobie nic romantycznego, staliśmy w lasku sosnowym przed jego domem, już przy drzwiach. Bawialnia w środku była pusta, tak jak jego pokój i kuchnia pachnąca czekoladą. Przyszła jakaś sąsiadka, chciała pomóc w przekazywaniu poczty, mówiła Dario, że będzie ją przesyłała, a ze sposobu, w jaki na nas patrzyła, można było się domyślić, że ją ubawiliśmy, dwoje nastolatków, którzy rozstają się po krótkiej przygodzie. To jej przypominało własną przeszłość, może syna piekarza, w którym się kochała w czasie wakacji na wsi, albo jakiegoś plażowicza z Trouville, wszystkie te egzotyczne historie letnie, przyszłe plotki z koleżankami, z towarzyszącym im ukradkowym śmiechem i pikantnymi zwierzeniami. A pies ciągle szczekał, musieliśmy powtarzać te nieliczne słowa, które wtedy padały, i gdy zamilkliśmy, przylgnąwszy mocno do siebie, pies dalej szczekał i nasze milczenie było go pełne, nasze myśli pomieszane, a zmartwienie nieco śmieszne.

A potem oczywiście zawołała go mama słodkimi słowami, którymi ja nie zwrócę się do niego nigdy, „mój skarbie", „mój aniołku", „Dario, kochanie, gdzie jesteś?", i zerwał się wiatr, było prawie zimno, nad nami przechadzały się chmury, zdawało mi się, że światła łagodnie gasną, z nonszalancją, naprawdę nic już nie miało znaczenia, nic nie było piękne. Wdychałam, dopóki mogłam, jego cynamonowy zapach, a także zapach piany, bo ogolił się tego ranka, być może dla mnie, być może dla naszych ostatnich pocałunków. Wolałabym, żeby tego nie robił, wolałabym, żeby jego broda trochę mnie kłuła i podrapała mój podbródek, żeby zostawiła na nim kilka czerwonych plamek, mały ślad. Patrzyłam na kolor jego oczu, który często się zmieniał pod wpływem światła, dopasowując się do czystego nieba Prowansji, odcień niebieskiego, którego nigdy nie umiałabym nazwać. Czułam swoje serce, a może jego serce, dwa szamoczące się ptaki, a potem wydał z siebie pomruk, odgłos z gardła, zaszlochał w ten sposób jedyny raz, po czym odszedł, trochę pochylony, po raz pierwszy przygnębiony, źle się czując w swoim ciele. Potknął się o kamień, ale nie upadł, odzyskał równowagę, i potem już nic. Oddalająca się zieleń jego swetra i radosne wołanie jego matki, trzask zamykanych drzwi, warkot uruchamianego silnika samochodu, który odjeżdża.

Zostałam w tym sosnowym lasku, kilka kilometrów za Aix. Wiatr unosił martwe liście, pies się uspokoił. Albo ktoś go zamknął. Albo zbił. Było mi wszystko jedno. Zostałam tam i zrozumiałam, że życie będzie długie. I że będę musiała udawać, że mnie ono interesuje. Że mam jakieś hobby, podróżuję, jestem czymś zajęta. Nie wiedziałam, że trzydzieści lat po tym, jak mnie opuścił, potykając się wśród tych sosen, Dario Contadino przywoła mnie do siebie. To tak, jakby trzydzieści lat wcześniej, tego wrześniowego dnia, zamiast wsiąść do samochodu i zatrzasnąć drzwi, zatrzymał się z ręką na klamce, żeby wykrzyczeć moje imię.

Długo szukałam Zoé w Aix z przekonaniem, że nie wyjechała z miasta. Chciała, żebym jej szukała, żebym poświęciła jej czas, jeszcze trochę czasu. Macierzyństwo zawsze szło w parze z poczuciem winy, więc chodziłam ulicami, powtarzając sobie, że niepotrzebnie sprawiłam jej przykrość, podobnie jak wtedy gdy niesłusznie ją ukarałam albo gdy się spóźniłam na przedstawienie w szkole, albo lodówka była pusta, mięso źle przyrządzone, zawsze pojawiał się obrazek wszechmocnej matki, która ma żywić, dbać, pocieszać, rozumieć i wybaczać. Być może Zoé wyszła z klasztoru tylko po to, aby sprawdzić, czy dalej radzę sobie w tej roli. W tej chwili mogłam znów spełnić wszystkie macierzyńskie obowiązki, nieco zmęczona, lecz całkowicie oddana.

Szukałam jej w Aix i miałam przed oczyma własną matkę, która jak w sztafecie powierzyła mi Christine. Na zawsze pozostała córką Boga Ojca, obłudnie chronioną, przerażoną przejawami życia. Niespodzianki zawsze były złe, a radość obowiązkiem. Ale pewnego dnia, gdy byłam w sklepie z France, moją przyjaciółką, zobaczyłam ją. Ona mnie nie widziała. Miałam wtedy trzynaście lat. W dziale kosmetycznym Monoprix France i ja próbowałyśmy ukraść trochę tuszu do rzęs, wyperfumować się za darmo i wypróbować pastelowe cienie oraz czerwone szminki, na które nie mogłyśmy sobie pozwolić, a w każdym razie nie mogłyśmy ich używać. Najpierw usłyszałam głos mamy. Mówiła: „trochę za jasne, prawda?", jakimś nieznanym mi tonem, trochę nieśmiałym i pożądliwym. Odwróciłam twarz w jej stronę. Włożyła rękę w pończochę w kolorze ciała i czekała na reakcję sprzedawczyni, zmęczonej i obojętnej kobiety, która miała na twarzy więcej makijażu, niż mogłaby pomieścić niejedna gablota z kosmetykami.

– To zależy do czego – odpowiedziała, żeby pokazać swoje niezwykłe zaangażowanie w sprzedaż pończoch.

– To znaczy… nie sądzi pani, że są trochę za jasne… na spotkanie towarzyskie?

Zastanawiałam się, o jakim spotkaniu mogła mówić moja mama, nigdy nie chodziliśmy na żadne spotkania. Chrzest albo pogrzeb stanowiły u nas wielkie wydarzenia. Co do ślubów, to rzadko nas na nie zapraszano, wszyscy trochę się bali naszej dziwnej rodziny, Christine za bardzo demonstrowała swoją radość, a mój ojciec był typem tancerza, który z palców u stóp robi kobietom pasztet dla kotów. Mama ciągnęła cichym, niepewnym głosem:

– To znaczy… czarny… jest bardziej elegancki, prawda?

– Ma pani rację, czarny jest elegancki.

– Ale w moim wieku czarny… nie jest trochę… nie na miejscu?

Sprzedawczyni wytrzeszczyła oczy, jej sztuczne rzęsy na chwilę splątały się z prawdziwymi, wyglądała jak pełna ekspresji kukła.

– Jak to nie na miejscu?

Mama ściszyła głos, musiałam się wysilić, żeby ją usłyszeć, równocześnie uciszając France, która znalazła właśnie super-zmysłowe perfumy.

– To znaczy, czy w czarnym w moim wieku nie wygląda się trochę jak *femme fatale*?

Sprzedawczyni zrobiła bolesną minę, aż pomarańczowa szminka odbiła się na jej górnych zębach. Westchnęła głęboko. Moja mama patrzyła teraz na swoją pięść pokrytą pończochą w kolorze ciała i powiedziała:

– Zastanowię się.

Zdanie, które oznacza: „nic nie biorę, ale nie mam odwagi tego powiedzieć".

– To twoja mama! – France ogłosiła mi szeptem tę rewelację.

– Cicho! – rzuciłam, bo byłam ciekawa dalszego ciągu.

Sprzedawczyni odeszła, kiwając głową. Mama ciągle patrzyła na swoją rękę. Powoli rozczapierzyła palce i je obejrzała, jakby były całkiem nowe, a ona zamierzała je kupić. Uśmiechała się, patrząc na dłoń, ale kiedy stanęła przy niej pani Manard, nasza sąsiadka z góry, ze swoją siatką na zakupy i trzęsącym się ciałem, moja mama natychmiast wyjęła rękę z pończochy i powiedziała:

– To zbędny zakup.

– Ma pani rację, wełniane pończochy są trwalsze.

– Tak, to prawda – odparła mama z żalem.

– I cieplejsze.

– Tak…

– Idzie pani na zebranie mieszkańców jutro wieczorem? Musimy omówić tę sprawę wyłącznika światła na klatce. Ale z tym problem, prawda?

Mama skinęła głową, co miało oznaczać „tak", a sąsiadka mówiła dalej o opłatach i śmietnikach. Wyszłyśmy, bo France pociągnęła mnie za rękaw, ale jak na osobę, która nic nie ukradła, wyglądała zbyt niewinnie.

*

Nie wiedziałam, co to znaczy *femme fatale*, a tym bardziej dlaczego czerń jest jej kolorem. W każdym razie fatum pasowało do mojej mamy, i przez długi czas myślałam, że *femme fatale* to tyle co kobieta przygnębiona. Ale pewnego dnia, gdy moja mama wróciła z pogrzebu ojca Gallarda, dawnego proboszcza w kościele Saint-Jean-de-Malte, i rozbierała się powoli w swoim pokoju, odkładając uważnie do komody apaszkę, kardigan i czarną spódnicę, od progu powiedziałam do niej, uprzejmie, aby rozproszyć trochę jej smutek i dlatego że naprawdę miała minę bardziej przygnębioną niż kiedykolwiek:

– Masz rację, mamo, schowaj to wszystko, chcę, żebyś już nie wyglądała jak *femme fatale*.

Odwróciła się do mnie zaskoczona, tak jakby proboszcz właśnie zmartwychwstał, i z trudem zapytała:

– Co powiedziałaś, Emilie?

– Bardzo go lubiłaś, ojca Gallarda, prawda?

– Ale... ale co ty insynuujesz?

– No... nic... Wyglądałaś bardzo elegancko, w każdym razie... ale... trochę za bardzo... jak *femme fatale*... mimo wszystko...

Zawołała: „och, och, och, mój Boże, mój Boże!", zasłaniając sobie twarz, i usiadła na łóżku. Christine dołączyła do nas i popatrzyła na nią ze zdziwieniem.

– Co jej jest? – zapytała mnie.

Wzruszyłam ramionami, nie mając odwagi już nic powiedzieć. Moja matka podniosła się, podeszła do mnie, ściągnęła twarz i powiedziała mi prosto w oczy:

– Jeszcze jedna tego rodzaju uwaga, a zapiszę cię do szkoły katolickiej!

Odzyskała godność oraz oschłość serca i wrzasnęła dokładnie w momencie, gdy wchodziłam do swojego pokoju:

– I zabraniam ci chodzić do kina!

Trzasnęła drzwiami, dyskusja była zakończona.

– Wolę, gdy chodzi na chrzty – powiedziała Christine, ciągnąc mocno swoją lalkę Barbie za włosy.

Było mi bardzo smutno, smutno z powodu niesprawiedliwości, i byłam bardzo rozżalona. W Monoprix zobaczyłam, jak śmieszna i nieżyciowa jest moja mama, a jednak to właśnie wtedy miałam ochotę do niej podejść, razem z nią wybrać drogie, czarne, niepotrzebne pończochy i razem marzyć o tych wszystkich spotkaniach towarzyskich, na które nie pójdziemy.

Zoé usiadła po prostu na ławce przy promenadzie Mirabeau. Miała czelność wyrzucać mi, że tak długo jej szukałam,
a przede wszystkim że nie mam przy sobie telefonu, co zdaje
się było dodatkowym dowodem całego zła, jakie chciałam
wyrządzić jej ojcu. Próbowałam skierować rozmowę na jej
plany, na to, że rzuca pracę sprzedawczyni biżuterii w Marsylii, czy opuszcza tego prostaka, z którym mieszka, i czy
będzie teraz bliżej Paryża – na wszystkie te pytania, na które
nieodmiennie odpowiadała: „zostawmy to, co nie ma znaczenia". Była tu po to, żeby zrozumieć, i nawet jeżeli mogła
zaakceptować rzeczywistość tylko w ograniczonych daw-
kach, ciągle wracała do tego zadania. Przypominała mi
zdradzone kobiety, które najpierw krzyczą: „nie chcę nic
wiedzieć!", po czym domagają się wszystkich szczegółów
i raczą się nimi aż do chwili, gdy w ich głowach pojawia się
całkiem wyraźnie myśl o samobójstwie.

Zaprosiłam ją na obiad i odegrałam rolę niegodnej matki,
zamawiając wino, które nalewałam jej, nie ociągając się,
w regularnych odstępach. Po trzech kieliszkach była na tyle

odprężona, że porównywała swoje życie do telewizyjnego reportażu o przyjezdnych z prowincji, którzy bezczynnie siedzą na deptaku, bo to nudne, tanie i bezpieczne. Postanowiła więc wyjechać do Konga, żeby zajmować się sierotami szympansów.

– Sierotami szympansów?

– Będę je głaskać.

– Słucham? Będziesz głaskać sieroty szympansów… które mają ogromny pysk… i są całe włochate?

– I tu się właśnie mylisz, mamo, widać, że nie znasz się na rzeczy. Ja będę sprawiać, że futro małych szympansów będzie odrastało. Rozumiesz?

– Nic nie rozumiem.

– Przestań pić i skoncentruj się. Jadę do Konga, do rezerwatu, gdzie umieszcza się małe szympansy, których matki zabili myśliwi. Będę je głaskać, karmić, mówić do nich, aż wyjdą z głębokiej depresji, wreszcie pokryją się sierścią i przeżyją.

*

Życie jest zaskakujące. Moja najstarsza córka jest zaskakująca. Poprosiłam ją, żeby mi przywiozła trochę kolorowych materiałów i uważała na wojny domowe. Ona powiedziała mi, żebym przywiozła jej z Genui prawdziwą historię.

Następnego dnia w południe opuściłam Francję, byłam we Włoszech.

Przekroczyłam granicę, która nie była już granicą, i przez chwilę było mi żal jej powagi, wolałabym, żeby Włochy najpierw naprawdę mnie zaakceptowały, a potem przyjęły, żeby celnik zawołał do mnie: „*avanti!*", wskazując mi swój kraj otwartą dłonią.

Tunele, aż do znudzenia. Żeby nie zasnąć, próbowałam je liczyć, ale poddałam się przy trzydziestu, tak mnie to zniechęciło. Jechałam za tylnymi światłami ciężarówek, potem trochę wzdłuż wybrzeża Morza Śródziemnego, a potem tunel, znów i jeszcze, na przemian dzień i noc, jakby nagle życie zaczęło biec z większą prędkością, jak karty wykładane na stół w grze albo niezharmonizowane obrazy z pierwszych filmów kinowych.

Cofałam się w czasie. Tyle razy marzyłam o tym domu na wzniesieniach Genui, którego zdjęcia Dario mi pokazywał, zdjęcia i rysunki, pastele namalowane przez jakiegoś jego wujka. Nawet adres skłaniał mnie do marzeń, pamiętam go: „La Florida. Via Pescia". Tego adresu nie było w ogłoszeniu, i to pasowało do Dario, bo nie silił się na dokładność tam, gdzie sprawy były oczywiste. Dario naturalnie pomyślał, że jego imię obok nazwy miasta wystarczy, żebym go odnalazła. I miał rację.

Nie wiedziałam, gdzie są moje wspomnienia, moje życie było układanką, której nie udawało mi się ułożyć. Widziałam Aix i miejsca mojego dzieciństwa, moje pierwotne uczucia i jakże czyste światło, które towarzyszyło wszystkim ówczesnym porankom. Byłam świadoma tej ułudy (w którym jestem dzieckiem), że świat wszędzie będzie podobny do tamtego świata, krajobrazy będą zawsze oświetlone w taki sam sposób, jasnym słońcem, wokół roztaczać się będą zapachy, będą wzgórza i morze, zawsze będzie można pójść popatrzeć na morze. Skąd mogłam wiedzieć, że stała bliskość Morza Śródziemnego to pierwszy prezent, jaki dostałam od życia, i że później będę go już miała tak mało? Każdego ranka budziłam się otoczona pięknem. I nie wiedziałam o tym. Co wieczór zasypiałam, słysząc słowa mojej siostry: „kocham cię, Mimile", i prosiłam ją po prostu, żeby mówiła ciszej. Spotkałam właśnie najstarszą córkę, która nie wiedziała, komu oddać całą swoją czułość. Myślała, że może najwyżej pocieszać szympansy, podczas gdy jedno jej spojrzenie mogłoby uzdrowić najbardziej zrozpaczonego człowieka. Zostawiłam bez wyrzutów sumienia mężczyznę, z którym spędziłam dwadzieścia pięć lat i ponad siedem tysięcy nocy. Wyjechałam, nie odwracając się. A czy kiedykolwiek robiłam coś innego niż niezawodne posuwanie się naprzód, plątanie wspomnień z nostalgią, smutku z rozczuleniem i lenistwa ze straconym czasem?

Opuściłam Francję, przekroczyłam granicę, która już nie istniała, i wjechałam do Włoch jak do własnego wnętrza, jak gdyby mężczyzna, który czekał na mnie, nie wiem z jakiego powodu, zachował nienaruszone wspomnienie Emilie Beaulieu jeszcze niezmęczonej, jeszcze wciąż raczej jednowymiarowej i uporządkowanej, nastolatki zajętej tylko i wyłącznie sobą, która szła przez świat, uśmiechając się, myśląc pozytywnie o życiu.

Pobyt we Włoszech uwalniał mnie od wszystkich wcześniejszych powinności. Wiedziałam, że Zoé zadzwoni do Marca i zrelacjonuje mu naszą rozmowę. Być może to tchórzostwo pchnęło mnie do tego, by zwierzać się córce z rzeczy, z których nie śmiałam zwierzać się jej ojcu. Byłam warta tyle ile wszyscy rodzice, którzy używają swoich dzieci jako wysłanników albo mediatorów. Ale teraz, w Genui... do diabła z poczuciem winy. Miałam spotkać się z Dario w jego willi La Florida i czułam, że jestem gotowa na wszystkie okoliczności: na to, że zobaczę go w ostatniej godzinie życia z twarzą wychudłą i pożółkłą albo jako mistrza ceremonii w jego piętrowych ogrodach, wspaniałego i uśmiechniętego, albo jako przystojnego, samotnego mężczyznę, pisarza własnego życia. Bo ja wiem?

Kupiłam plan okolicy, po czym zostawiając za sobą miasto z jego stromymi uliczkami, fontannami, pałacami i portem, który z trudem obsługiwał ruch międzynarodowy, pojechałam w stronę wzgórza. Za mną, w dole, żyła Genua niczym ogromne zwierzę, które pożarło swoje młode. Tam w dole wszystko wrzało, rozgadane głosy dźwięczały, odbijając się od pochylonych ścian domów, a syreny portowe ryczały na zawsze tę samą stuletnią nutę, dźwięk ogromnych statków, które oddalają się bardzo wolno, lecz szybko stają się zaledwie piórkami na łasce wiatrów morskich.

Upał w samochodzie był nie do zniesienia, przez otwarte okna wpadało powietrze rozgrzane jak od ognia. Już wtedy nie wyglądałam dobrze. Kupiłam w Aix ładne kobiece ubranie i walizkę, kosmetyki do makijażu i perfumy, których zawsze używam, przygotowałam się do tej randki, choć być może nie była ona wcale randką. Sukienka przyklejała mi się do pleców, po policzkach spływał pot, widziałam strzeżone bogate wille stojące na wzniesieniach, ledwo widoczne za wysokimi kamiennymi murami, drzewami i kratami. Te, które wyglądały na nowo wybudowane, wydawały się mniej bogate, były otwarte, garaż zajmował w nich tyle miejsca co taras, w ogrodach rosły drzewa cytrynowe w doniczkach i malutkie jak rośliny hodowane w mieszkaniach drzewka oliwne. To były domy bez przeszłości. Adresy nowobogackich. Tych, którzy chcieli, aby było ich widać.

Bez trudu znalazłam Via Pescia. Zaczęłam jechać szybciej, ze strachu, jak każdy, kto biegnie naprzeciw niebezpieczeństwu, naprzeciw zagrożeniu nieznanym, zanim tajemnica się rozwieje, a napięcie opadnie. Czas ciągnął się jak w snach, w których w ciągu kilku minut dzieje się więcej niż podczas całego dnia, czasem więcej niż w ciągu życia, snach, które mówią nam, że dusza jest większa niż życie i że od zbyt dawna trzymamy ją w zamknięciu. Wreszcie działo się coś ważniejszego niż wszystko inne. Coś wreszcie mogło się wydarzyć, przełamać odrętwienie, wybuchnąć jak wnętrze owocu.

Dotarłam przed La Floridę. Samochód zostawiłam na wąskim poboczu pełnej zakrętów drogi, bo nie było żadnego miejsca do parkowania. Budowano tu domy z siłą, dumą i wytrzymałością. Kamienna tabliczka z nazwą „La Florida" była tak stara, zniszczona przez czas, że ledwie czytelna, a zielona pojedyncza furtka nie zdradzała piękna tego miejsca. Aby dojrzeć willę, stojąc na ulicy, trzeba było podnieść wysoko głowę, a i tak można było zobaczyć tylko jej ostatnie tarasy. Widziałam więc, że Dario mnie nie okłamał: było to miejsce równie piękne, co strzeżone. Piękno ukryte i zazdrosne. Rozpoznawałam go w tym pięknie.

Zadzwoniłam całkiem nowym domofonem, który najwyraźniej niedawno zainstalowano. Jakaś kobieta zapytała, czego chcę, a gdy odpowiedziałam po prostu „Dario", otworzyła mi i wypowiedziała to słowo, którego oczekiwałam, przekraczając granicę. Głosem zniekształconym przez aparat powiedziała po prostu: „*avanti*".

Szłam w górę wąską kamienną ścieżką prowadzącą na pierwsze piętro ogrodu, na stary taras, z którego w oddali widać było morze, pomiędzy bujne krzewy wawrzynu, drzewa oliwne, potem weszłam na kolejne schody, do większego ogrodu, między dorodne rośliny, oleandry i geranium spalone słońcem, i na jeszcze jedne schody, u stóp których wreszcie mogłam zobaczyć dom. Zatrzymałam się tam na chwilę. U szczytu tych kamiennych schodów czas się zacierał, trzydzieści lat, które oddzieliły mnie od Dario, odchodziło w zapomnienie i wiedziałam, że w naszym dzisiejszym spotkaniu nie ma w ogóle miejsca na nostalgię, jest tylko pewność, że wszyscy, absolutnie wszyscy, nie zachowując w sobie ani odrobiny tamtych emocji nastolatków, byliśmy głupcami.

Stałam na dole schodów w słodkim zapachu drzew pomarańczowych i cytrynowych, wśród odległych odgłosów samolotów, przecinających się na niebie śladów ich lotów, widoku Morza Śródziemnego, z którym mieszało się niebo, wśród tego życia toczącego się wokół mnie, przelatujących ptaków, pszczół, spragnionych psów, dzieci śpiących w kołyskach w chłodnych pokojach, starców w swoich starych gabinetach, ciemnych bibliotekach, dziewcząt przed lustrami, milczących wieśniaków, służących, zakochanych, neurasteników, wśród tych wszystkich losów, które się zaczynały, kończyły, rozpraszały, zacierały w zapomnieniu, w otchłani czasu, i stojąc na dole tych schodów, wiedziałam, że ten dom otworzy się przede mną i nie będzie mi się opierał.

Miała na imię Giulietta. Powiedziała mi to po francusku śpiewnym, rokokowym akcentem, włoskim akcentem z filmów, które kochaliśmy, z łatwych piosenek, które sprawiały, że zakochiwaliśmy się na jeden taniec albo na jedno spojrzenie. Wymawiała je „Dżiulietta", dając miejsce każdej samogłosce, *crescendo*.

Miała niepokojącą urodę pięćdziesięcioletnich kobiet, które kiedyś były bardzo piękne i do dziś zachowały niewzruszoną pewność siebie, bo wiedzą, że nadal są inne, stoją wyżej, ciągle jeszcze są bardziej szykowne, zadbane i dumne. Mają spojrzenie pełne ognia, wysokie kości policzkowe, intrygujące usta, które ciągle jeszcze malują, i ciemne, błyszczące włosy jak chroniony klejnot. Była pewna siebie i swojego uroku jak kobieta, która nigdy nie ma powodów, by się skarżyć, nigdy nie poddaje się chorobie, rzadko się rozczula, a w towarzystwie kontroluje swoje emocje, by potem bez świadków oddać się i kochać.

Sama otworzyła mi drzwi, dużo wcześniej, nim zdążyłam zapukać, stała tam i czekała na mnie, żebym od razu zrozumiała, że to ona jest panią tego miejsca. Czy odkryła ogłoszenie Dario? Czy jej powiedział, że jestem na liście gości zaproszonych na jego święto, dawnych znajomych, z którymi musi się spotkać, pisząc autobiografię? Czy chodziło o jakąś grę między nimi, o zakład nudzących się *bourgeois**, zdemoralizowanej, trochę zawiedzionej pary? Nie była zaskoczona moją obecnością, najwyraźniej na mnie czekała. Moje imię przy jej imieniu brzmiało ubogo, „Emilie Beaulieu", tak bardzo francuskie i bezbarwne, szare imię, a ja sama, przy tej wysokiej, chudej kobiecie, ubranej z dyskretną elegancją, byłam blada i spocona. Ja, w mojej krótkiej sukience w kwiaty, zbyt nowych butach, ze zmęczeniem i wątpliwościami. Ona, skropiona perfumami, o ciemnej cerze, twarzy lekko umalowanej, ale jakże wypielęgnowanej, z doskonałymi paznokciami, delikatnymi bransoletami. A między nami Dario, ukryty, zatajony, być może uczestnik tej sceny. On mnie przywołuje, lecz ona wita.

*

Posadziła mnie w małym saloniku, w pomieszczeniu było ciemno, zasłonięte okna chroniły wnętrze przed upałem poranka, kurz tańczył w pasach światła, osiadał na dywanie, fortepianie i nikt się nim nigdy nie przejmował. W pokoju o oknach z ostrołukami, z wysokim sufitem, trochę popękanym, panował zapach nigdy nietrzepanych welurowych tkanin i starych śpiących psów. Spojrzenie Giulietty spoczywało na mnie bez sympatii, ale też bez nieufności, sprawiała wrażenie, że się waha, szuka właściwych słów. To nie była kwestia języka, bardzo szybko zrozumiałam, że jest dwujęzyczna, jak zwykle Włosi z jej sfery,

---

* *Bourgeois* (fr.) – mieszczanie, przedstawiciele klasy średniej.

którzy równie swobodnie czują się w Paryżu, co w Genui, w Rzymie i w Nowym Jorku, bez problemu rozmawiają w wielu językach z wyuczonej grzeczności i dla oczywistej wygody. Pokojówka przyniosła nam herbatę i przez chwilę siedziałyśmy tak w pełnej uwagi ciszy. Nie miałam odwagi mówić o ogłoszeniu, bo nagle wydało mi się ono nierealne i nieco śmieszne, ale ta kobieta znała moje imię, zanim się przedstawiłam, wiedziała o moim istnieniu, za to najwyraźniej nie wiedziała, co z tym zrobić. Nagle zaczęłam się spodziewać, że z właściwą sobie pewnością siebie poprosi mnie, żebym jak najszybciej wyjechała, żebym się wynosiła, zanim pojawi się Dario, żebym się z nim przede wszystkim nie spotkała, nigdy tego nie zaakceptuje, znalazła ogłoszenie, szalała z gniewu i tak dalej.

– Wie pani, co tu robię? – zapytałam.

Zanim mi odpowiedziała, przez chwilę panowała cisza, widziałam, jak na jej czole pulsuje żyła.

– Chcę, żeby zobaczyła pani Dario.

Gdy wymówiła jego imię, z tym podkreśleniem, jakie włoski nadaje najmniejszym sylabom, nagle stało się ono ogromne i ciężkie, zbyt konkretne. CHCIAŁA, żebym go zobaczyła? Dlaczego? Ostatnia konfrontacja? Test? Czy niemal pięćdziesięcioletnia Emilie na zawsze wymaże z pamięci wspomnienie ukochanej nastolatki? Bardzo wątpiłam, czy miałam aż takie znaczenie w życiu Dario. Ale on, czego chciał? Nagle poczułam się silniejsza od Giulietty. Ponieważ ona wypowiedziała życzenie, to ja brałam teraz sprawę w swoje ręce, to ja mogłam odmówić. Ale nie dała mi odpowiedzieć.

– Nie należy się niczemu dziwić – powiedziała stłumionym głosem.

– Jest chory?

– Być może.

– Jest tutaj?

– Oczywiście!

– Dlaczego dał to ogłoszenie? Kim pani jest? Przyjechałam z Paryża i nie chcę, żeby mną manipulowano.

– Manipulowano! Jestem żoną Dario od ponad dwudziestu lat! Nie mamy ani czasu, ani chęci kimkolwiek mani-
pulować.

I po chwili dodała:

– A przede wszystkim nie panią...

Wstała i zobaczyłam nagle, że ma za sobą wiele porażek,
że to kobieta, która walczy, bo to, że potrzebuje czyjejkolwiek
pomocy, jest dla niej prawdziwą męczarnią, nie była do tego
przyzwyczajona, zawsze była traktowana jak księżniczka
i nigdy nie musiała o nic prosić. Przeszła po pokoju kilka
kroków. Nie była zbyt wysoka, ale bardzo smukła, napięta,
przesadnie dumna.

– To, co mam pani do powiedzenia, Emilie, nie jest łatwe
i naprawdę wolałabym poradzić sobie bez pani. Długo się
wahałam, zanim zamieściłam to ogłoszenie...

– Ja... naprawdę nie rozumiem...

– To oszustwo, wiem. Napisałam: „przyjedź do mnie",
i podpisałam jako Dario. Wiedziałam, że jeśli jest jakaś
szansa, jakakolwiek, że pani do niego przyjedzie, to przecież
nie wtedy, gdybym podpisała się jako ja. Czy się mylę?

Wstałam i zamierzając wyjść, popatrzyłam na nią z nową
pewnością siebie. Dalej czułam się dużo silniejsza od niej.
I pełna głuchego gniewu.

– Nie chcę wiedzieć, dlaczego zamieściła pani to ogłoszenie, nie mam najmniejszej ochoty poznawać pani powodów.
Ale sądzę, że się pani do niczego nie przydam.

Byłam rozgniewana, ale też zawiedziona, upokorzona
oszustwem Giulietty, jej małostkowością i tym, jak łatwo jej
to przyszło. Wstałam i wyszłam. Dom wydał mi się nagle

ciasny, w ogóle nieprzystający do tego, jak wyobrażałam sobie tę podróż, tyle nadziei, i po co? Żeby się dowiedzieć, że wpadłam w pułapkę, że Dario nigdy nie napisał tego ogłoszenia, nawet nie podyktował go swojej żonie... że być może nic o nim nie wie?

Ogarnęła mnie z niebywałą gwałtownością jasność ogrodu niczym rozgrzane do białości ostrze. Gdy doszłam do drugiego tarasu, zatrzymałam się na chwilę, bo zakręciło mi się w głowie, i oparłam się o kamienną balustradę. Morze naprzeciw mnie było prawie białe, rozbłyskiwało srebrnymi refleksami, na które nie dało się patrzeć. Wiedziałam, że za mną w jednym z pokoi tego starego domu jest Dario. Dario z przeszłości, może chory, może nie, ogarnięty nagłą melancholią, cierpiący na źle leczonego raka, zmęczony mężczyzna żyjący ze zdezorientowaną kobietą, która rządziła światem, tak jak zawsze rządziła swoją służbą i pracownikami fabryk swojego ojca, kto wie? Mieszczka ogarnięta żalem, że nie udało jej się zrobić kariery jako modelka albo aktorka, która w pełne nostalgii wieczory paliła stare zdjęcia i żyła w półmroku bardziej po to, aby ochronić się przed sobą niż przed słońcem.

– Proszę się napić wody.

Musiała naprawdę mnie potrzebować, skoro biegła za mną ze szklanką wody. Wzięłam ją, choć nie miałam w ogóle ochoty przystawać na żaden gest ze strony tej kobiety. Chciałam uciec, ale frustracja (podróż po nic, niewiedza, co przydarzyło się Dariowi), a także niemal nieznośna świadomość, że tam jest tak bliski, żywy, ten sam mężczyzna, to samo imię, kilka metrów stąd, kilka oddechów...

– Czy on wie, że tu jestem?

– Skąd możemy to wiedzieć?

– Kto mnie potrzebuje? On czy pani?

– Proszę posłuchać: jest pani rozgniewana i rozumiem to. Żałuję tego, co zrobiłam... To znaczy żałuję, że to zrobiłam w ten sposób. To nie było uczciwe. Nigdy wcześniej nie zrobiłam niczego takiego. Nigdy.

– Niech mi pani powie, po co tu jestem.

Nagle stałyśmy się sobie równe. Koniec z grzecznością, elegancją, wyrafinowaniem i dobrymi manierami. Chciałam wiedzieć tylko jedno: o co chodzi?

Powtórzyła tylko, ale tym razem głosem mniej pewnym siebie, prawie z żalem:

– Nie należy się niczemu dziwić.

I nagle znalazłam się sama za nieznanymi drzwiami na samej górze tego trochę smutnego, zniszczonego domu. I był tam również ten mężczyzna. Trzydzieści długich lat, jakie minęły od wrześniowego poranka w lasku pod Aix, gotowy do odjazdu samochód i ten nastolatek, który szlocha i potyka się, dołącza do swojej matki i odjeżdża, i nigdy, nigdy, nigdy nie przypomina o sobie. Trzydzieści lat i nagle stoję przed wyblakłymi zielonymi drzwiami z małą mosiężną klamką i zupełnie nie wiem, kim jest on, dlaczego ja tu jestem ani dlaczego kobieta, która go kocha, daje mu mnie. Ale wiem, że wszystko zaakceptuję. Bez względu na to, czy umiera, jest chory psychicznie czy okaleczony. Czy jest pyszałkiem, ego-istą, alkoholikiem czy wariatem. Zaakceptuję to, co zrobił z nim czas, te noce, kiedy ogarnęła go beznadzieja, i te, kiedy kochał się aż do wyczerpania, dni, które intensywnie przeżył, i te, kiedy chciał umrzeć. Łaskę i upadek. Najpiękniejszą rozpacz i niewinny śmiech, czas, kiedy miał jeszcze matkę, i czas, kiedy kochał tak bardzo, że padał na kolana i być może nienawidził się za taką zależność.

Zapukałam do drzwi. Nie odpowiedział. Położyłam rękę na klamce. Weszłam.

Był tam. Jego plecy. Jego szerokie plecy, trochę pochylone, łagodna postawa, trochę lekceważąca, którą miał już w wieku siedemnastu lat. To był on. Silniejszy, bardziej masywny, i jego włosy, podobne, blond, zaledwie nieco bledsze, ciągle jeszcze ładne, i twarz, zwrócona w stronę okna, nie tego wychodzącego na morze, ale na pinie, drzewa pomarańczowe i glicynie. Nigdy nie czuł potrzeby, by patrzeć daleko, aby się wyłączyć. Chciałam go zawołać. Chciałam wypowiedzieć jego imię jak za pierwszym razem, i żeby mnie poprawiał, szepcząc… „Ario? – Nie: Dario. – Ach! Mario! – Nie: DA-rio! Dario Contadino"…

Dario Contadino… Powiedziałam cichutko, szepnęłam bardziej do siebie niż do niego: *ragazzo*… Bo był nim, ciągle. Będzie to w sobie miał, zawsze. *Ragazzo*… Ten, którego wszystkie kochałyśmy. Ten, który wszystkim dawał swoje usta, swoje ręce, a tylko mnie dawał swoje zmęczenie, ten jeden gest, dłoń na czole, ta wspaniała ucieczka… Dario Contadino… Tyle dziewcząt wymawiało jego imię, dotykało jego języka, jego warg i nie mogło się nadziwić, że to takie proste, że on tak po prostu jest i nie chce nic w zamian… Patrzyłam na jego plecy i myślałam o moich palcach przesuwających się po jego plecach, o nim, jak patrzył na morze i lekko drżał. A potem moje ręce, a potem miłość na zbyt twardej ziemi i nasza duma, ta miłość, tak żywa, tak słuszna, jedyna.

Powoli podeszłam do niego. Miałam taką tremę, że prawie płakałam. Byłam matką, która odnalazła swoje młode. Byłam wilczycą. Kocicą. Suką. Czułam głęboką wewnętrzną potrzebę, żeby się odwrócił i przemówił do mnie. Środek ziemi znajdował się w głębi mojego żołądka. Byłam żywa tak, że aż bolało. Wiedziałam, że na zawsze mam w sobie część

Dario. Jak odcisk na kamieniu. Znałam jego kolor i jego smak. Jego tajemnice. Jego spojrzenie. I nawet nieskończoną miłość jego matki. Znałam jego rozkosz i zaskoczenie tą rozkoszą, ten jedyny ból, krzyk u progu łez, to długie ciało w moim ciele, ciało, które oddaje się, krzyczy i jest tym krzykiem przerażone. Przyjęłam jego radość i młodość i nie wiedząc o tym, dorośliśmy, wzajemnie popychaliśmy się w stronę świata ludzi, ale intuicyjnie, potajemnie wiedzieliśmy jedno: nigdy nie odnajdziemy już mocy tej miłości, szczodrej i bezwzględnej, i nieświadomości tych, którzy uważają się za nieśmiertelnych.

Usłyszał mnie. Odwrócił się. Popatrzył na mnie. Jego oczy, które widziały tyle rzeczy beze mnie. Jego oczy, w które przez te wszystkie lata patrzyło tylu ludzi, nie wiedząc. To samo dalekie, niezdecydowane i pokorne spojrzenie, łagodne i trochę wycofane, zmęczone. Ten sam niebieski kolor. Leciutko zmącony. Rzęsy cieńsze, bardziej proste. Brwi cięższe, a nad nimi zmarszczka, nowy znak. Nie poruszałam się. Nikt nie poruszał się w tym małym pomieszczeniu pachnącym lakierowanym parkietem i starymi wilgotnymi książkami z domów nad brzegiem morza, stronami nabrzmiałymi wilgocią i ziarenkami piasku, których nigdy nie da się usunąć. Stałam naprzeciw niego i chciałam, żebyśmy w tamtej chwili umarli, bez słowa, bez wyjaśnienia, żebyśmy umarli i wrócili do czasów, gdy byliśmy tylko my. Ale ze spojrzenia, którym patrzył na mnie, nie mogłam wyczytać nic. Gdy już je rozpoznałam, rozpoznałam jego kolor, nie zobaczyłam w nim nic. Ani zdziwienia. Ani radości. Zażenowania ani zmęczenia. Nawet udawanej grzeczności. Po prostu patrzył na mnie, a potem jego podbródek nieco zadrżał jak u dziecka, które zaraz się rozpłacze. Ale nie rozpłakał się, tylko bez słowa odwrócił do okna. To chyba długo trwało. Położyłam otwartą dłoń na jego plecach. Bardzo szybko się od niej uwolnił lekkim ruchem ciała. Więc przez chwilę stałam, patrząc na niego, nie rozumiejąc. A potem weszła Giulietta. Powoli, nieskończenie ostrożnie. Wręczyła mu szklankę whisky, usiadł, my też usiadłyśmy w starych, brzydkich bladoróżowych fotelach z zadrapanym obiciem, i Giulietta powiedziała: „To Emilie".

Wypił trochę, nie odpowiadając. Powiedziała: „To Emilie. Często mi mówiłeś o Emilie. Miałeś siedemnaście lat. W Aix-en-Provence. Mimoune często wspomina o Aix-en-Provence... Pamiętasz?".

Westchnął, opróżnił szklankę i pokręcił przecząco głową, powoli wstał, wyszedł. Drzwi pozostały za nim otwarte, słyszałam jego kroki na marmurowych schodach, a potem nic.

Giulietta zamknęła oczy i powiedziała:

– Nic nie pamięta. Będzie mi pani musiała pomóc.

Popatrzyłam na pustą szklankę, którą Dario postawił na parkiecie, i powiedziałam: „dobrze".

Giulietta kazała przygotować dla mnie łóżko w pokoju na półpiętrze, którego okno wychodziło na morze. Tapeta w małe liliowe kwiatki była śmieszna i niemodna, a drewniana szafa, w której ktoś zostawił stare bilety na pociąg, jakieś apaszki, bezpieczniki, potłuczone żarówki, pachniała wilgocią i martwymi liśćmi. Słyszałam dalekie głosy, włoskie wykrzykniki, które wydłużając się, nadają najprostszym prośbom znamiona klątwy. Krzyki roztapiały się w bardzo lekkim szumie fal Morza Śródziemnego wymieszane z jego nieregularnym rytmem. Poza tym domem wszystko żyło w ociężałości i łagodności początku lata. Do tego domu nie przenikało z tej pogody nic poza smakiem przejrzałych owoców i zwiędłych kwiatów. Nade mną był pokój Dario. Kształt jego życia o rozmytych konturach, to mentalne odosobnienie, niemalże nieuniknione u kogoś, kto zawsze był nie z tego świata, kto był pobłażliwym obserwatorem, niepokojącym, roztargnionym akrobatą, mimo woli zagadkowym. Słyszałam, jak chodzi. Jak otwiera drzwi, zamyka okno... Czy wykonywał jakieś maniakalne gesty, robił absurdalne rzeczy, czy był niebezpieczny dla siebie, czy spędzał dnie w niezmąconej niczym nieobecności jak stare zwierzę, które umiera, powoli przestając oddychać, z pełną rozpaczy rezygnacją?

Pewnego dnia pokochał kobietę, kochał ją do tego stopnia, że ją poślubił i był z nią dwadzieścia lat. Pracował, na pewno. Może został ojcem. Dziadkiem. Pomiędzy naszą wczesną młodością a dniem dzisiejszym był żywym pośród żywych.

Giulietta porozmawia ze mną jutro, jak mówiła. Nie mogłam długo zostać w Genui, poprosiłam ją więc, żeby była konkretna. Powiedziałam jej to w ten sposób, „być konkretną", co natychmiast wydało mi się absurdalne, biorąc pod uwagę sytuację, amnezję Dario, która według wszelkiego prawdopodobieństwa nie pozwalała niczym pokierować. Chciała, żebym do niego mówiła, żebym mu przypomniała to, kim byliśmy w Aix-en-Provence w 1976 roku. Może jakieś wspomnienie by go obudziło, może coś powoli przebiłoby się do jego świadomości, może nastąpiłby nagły szok i uratowałby się z tego, wróciłby do swojego życia, nazwiska, żony.

Słuchałam kroków Dario nad sobą, a potem nagle usłyszałam jej głos, ledwo słyszalne zdania, monolog Giulietty... Od jak dawna była tu z tym człowiekiem, który nawet nie mówił? Od jak dawna co wieczór czekała na powrót Dario, który nie wracał?

Teraz, gdy nadchodził wieczór, morze przybrało ciemniejszy odcień koloru niebieskiego, powietrze stało się lżejsze, otworzyłam okno i patrzyłam na odległe postacie opuszczające plażę, kończące dzień lenistwa i upału, po którym jest się dziwnie zmęczonym, prawie obolałym od nicnierobienia. Ludzie rozchodzili się, aby znów znaleźć się w swojej kuchni, zaznać przyjemności, oblewając ciało jasną wodą prysznica, pijąc lampkę wina w porcie, aby rozpocząć ostatnią część tego dnia z jeszcze ciepłym ciałem, trochę suchymi, słonymi wargami, zapachem kremów do opalania i w otoczeniu swoich ulubieńców. Czułam się zamknięta w jakimś zamku poza czasem, w wieży arystokratów, którzy nie dostrzegli, że nadchodzi nieszczęście i upadek, i stali się obcy dla tego świata dużo wcześniej, niż go opuścili.

Następnego dnia rano dom wydał mi się inny. Pojawiła się służba, jakiś dostawca, grało radio, trzaskały drzwi, zapachy kawy i tostów nadawały trochę intymności rozproszonym pomieszczeniom, temu domowi składającemu się z zakątków, ukrytych schodów, piwnic i przybudówek. Następnego dnia rano dom żył.

Giulietta chciała, żebyśmy zjadły śniadanie na plaży w restauracji serwującej owoce morza, którą lubiła i gdzie nikt nie będzie nam przeszkadzał. Zaproponowała mi, żebym dzwoniła do Francji bez ograniczeń, i wskazała małą bibliotekę na pierwszym piętrze, w której można było się zamknąć i spokojnie rozmawiać. Zapragnęłam zadzwonić do Marca. Pragnęłam zażyłości, która pozwoli mi odzyskać równowagę. Nagle poczułam, że potrzebuję tego mężczyzny i tego, że mnie zna. Chciałam mu powiedzieć to, czego być może nigdy mu nie powiedziałam. Że usilnie próbowałam wieść proste życie tylko dlatego, że sama byłam rozbita, potrzebowałam zakotwiczenia w mężu, żeby nie rozpaść się na kawałki, lecz bez wątpienia nie byłam stworzona do takiego życia, życia żony i matki rodziny, nie bardziej niż do tysiąca innych ról, karmelitki, reporterki wojennej, lesbijki, artystki, kasjerki, modelki, woltyżerki, samotnej matki, wyzwolonej kobiety z cyganerii, jedynej i wciąż sławionej kochanki mężczyzny, z którym nigdy nie miałabym dzieci, albo może to wszystko trwało dla mnie za długo, byłam stworzona do tego, żeby spalić sobie skrzydła i zniknąć, nietrwała jak motyle mojego ojca. Patrzyłabym z nieba na moją matkę i jej młodość, na mojego ojca i jego poważny wiek i nie chciałabym się narodzić z tych dwojga, odeszłabym, żeby wrócić później, gdzie indziej, pod postacią światła podobnego do tego, jakie widać czasem u szczytu drogi, przy wyjściu z lasu, zaskakującego i zachwycającego. Chciałabym być dobrą nowiną. Chciałabym być wyciszeniem. Wielkim odpoczynkiem. Chciałabym być jedną sekundą, tą, w której czuje się szczęście, radość, harmonię. A potem umrzeć. Chciałabym być śmiechem dwóch osób, które się kochają. Chciałabym być wysokim „C". Arcydziełem. Genialną myślą. I odrodzić się gdzieś indziej. W energii.

Przypływ. Szybujący orzeł. Tam, gdzie szelest skrzydeł jaskółek, kiedy latają nisko nad stawami, i gdzie nadchodzi wieczór, wilgotny i spokojny. O tym właśnie chciałam powiedzieć Marcowi, o potrzebie chwili i piękna, i niczego innego. Ale powiedziałam mu co innego: „To ja. Ciągle się gniewasz?", co zdradzało poczucie winy, chociaż wydawało mi się, że go nie mam.

– Gdzie jesteś? Dotarłaś do Genui?

– Tak, jestem w Genui.

– Przylecę jutro samolotem Alitalii o dwudziestej pięćdziesiąt.

– Nie.

– Co mówisz?

– Mówię: nie, nie rób tego.

– Dlaczego?

– Bo to głupota... zostanę tu tylko kilka dni. Wracam pod koniec tygodnia.

– Świetnie. Wrócimy razem. Daj mi adres i jakiś numer telefonu.

Dałam mu tylko numer telefonu.

– Naprawdę boisz się tego, że przyjadę?

– Marc? Czy byłam dobrą żoną?

Minęła dłuższa chwila. Zaskoczyłam go. Zoé z nim rozmawiała, tak jak myślałam. Wiedział, że jestem w Genui.

– A ja? Czy ja byłem dobrym mężem?

Rzadko się zdarzało, żeby Marc przyznawał się do niepokoju, ale gdy to robił, to zawsze ze szczerością, która mnie poruszała, przypominała mi o jego ukrytej wrażliwości, elegancji, z jaką znosił swoje niewidoczne rany.

– Tak... Byłeś bardzo dobrym mężem... I też dobrym ojcem. Naprawdę byłeś dobrym ojcem.

– Ciągle nim jestem.

– Wiem. Twoje córki cię uwielbiają.

– Nie, miałem na myśli, że JESZCZE jestem dobrym mężem. Dwadzieścia pięć lat i tysiąc pięćset kilometrów później.

– Tak.

– I lecę do ciebie jutro o dwudziestej pięćdziesiąt.

– Nie.

– Dlaczego?

– Jestem tutaj, żeby pomóc przyjaciółce, Giulietcie...

– Nie nabiorę się już na żadną przyjaciółkę, proszę cię.

– Jej mąż stracił pamięć.

– Ale pamięta twoje imię, po trzydziestu latach, medycyna zrobiła cholerny postęp.

– Zoé ci powiedziała?

– To miło, że wybrałaś nasze dziecko na wysłannika ONZ.

– Żałuję.

– Masz czego.

– To żona Dario dała to ogłoszenie. Właśnie dlatego, że stracił pamięć.

– To jest dopiero dobra żona!

– Marc, posłuchaj, rozumiem, że jesteś wściekły i...

– Nie jestem wściekły.

Za szybą latała pszczoła, pierwsza pszczoła tego lata. Nigdy nie bałam się pszczół i nigdy żadna mnie nie użądliła. Pomyślałam znów o mojej matce i jej krzykach, o kanapkach z szynką i o tym, że w tej niedopasowanej rodzinie nigdy nie mogliśmy być beztroscy.

– Nie jestem wściekły. Chciałbym po prostu zrozumieć, dlaczego wystarczyło, że miłość z młodości zamieściła ogłoszenie w gazecie, żebyś straciła głowę.

– Też chciałabym to zrozumieć. Może po to tu jestem.

– Często myślałaś o tym człowieku?

– Tak. Często.

– Na przykład kiedy?

– Kiedy wyszłam za mąż. Kiedy urodziły się moje córki. Kiedy miały piętnaście lat. Kiedy latem sosny pachną żywicą, gdy czuję zapach gorącej czekolady, potu, cynamonu, kiedy słyszę Mike'a Branta, Johnny'ego Hallydaya, cykady albo Chopina, kiedy oglądam włoskie filmy, widzę zakochanych nastolatków, rowery, kariatydy, statki, kiedy zasypiam na słońcu, kiedy się śmieję przed lustrem, kiedy tańczę sama. Kiedy jest mi dobrze. Kiedy życie jest blisko mnie.

*

Zapadła długa cisza. Zrozumiałabym, gdyby się rozłączył. Gdyby się roześmiał. Gdyby się zdenerwował. Gdyby się ze mnie naśmiewał albo mi współczuł. A on tylko powiedział:

– Ale dziś to o mnie pomyślałaś.

I się rozłączył. Otworzyłam okno. W ogrodzie jakiś mężczyzna w dużym niebieskim fartuchu oparty o grabie śmiał się, rozmawiając przez telefon. Po raz pierwszy widziałam ogrodnika z telefonem komórkowym.

– Spotkałam Dario w Rzymie w dziewięćdziesiątym siódmym roku u przyjaciół. Byłam wtedy żoną chirurga, starszego ode mnie. I to nie było tak, jak pani myśli, to znaczy nie byłam młodą arystokratką, która się nudzi.

– Ale ja nic nie myślę.

– Chodzi mi o to, że... Zna pani Dario... Nie wiem, jaki był, gdy miał naście lat, czy był już... To przecież człowiek, przy którym nic nie trzeba udowadniać. Wystarczy być sobą.

Poczułam nagle, że wcale nie jestem pewna, czy mam ochotę wysłuchać historii Giulietty. To, że opuściła dla Dario jakiegoś mężczyznę, że on być może opuścił dla niej jakąś kobietę – nic bardziej banalnego. I bez znaczenia. Siedziała w ogródku restauracji naprzeciw morza, cień maty z trzciny zasłaniał jej twarz, mówiła urywanymi zdaniami jak ktoś, kto z trudem oddycha, jak gdyby stała na skraju świata i zaraz miała upaść.

– Zamieszczałam ogłoszenie codziennie przez trzy miesiące. Byłam pewna, że pani przyjedzie.

– Wie pani, ta gazeta wpadła mi w ręce przez przypadek.

– Próbowałam też w internecie, na portalach kolegów ze szkoły, na Facebooku...

– Nie mam przyjaciół w internecie i nie interesuje mnie, kim zostały moje dawne koleżanki. Co miałyby mi do powiedzenia? Imiona dzieci z datami narodzin i ślubu? Zobaczyłabym zdjęcia z urodzin, z wakacji na Dżarbie, i co dalej?

– Poszłam nawet do wróżki, żeby się dowiedzieć, w jakim mieście pani mieszka...

– Jestem taka ważna? Albo pani jest tak zdesperowana, że...

– Nie jestem zdesperowana. Mężczyzna, którego kocham, żyje. I dopóki żyje, jestem szczęśliwa. Codziennie dziękuję Bogu.

Na plaży, jak na wszystkich plażach, była tego dnia flirtująca z sobą nastoletnia młodzież, chłopcy i dziewczęta, którzy błagali niebo o to, by się zakochać i żeby się udało, aby to trwało, wielka miłość, jedyna historia, najpiękniejszy moment w ich życiu.

I Giulietta, i ja byłyśmy jeszcze w szoku po tej rewolucji, związane z Dario, zmuszone do tego, by się porozumieć, by sobie pomóc, tak naprawdę wcale tego nie chcąc.

– Ma pani dzieci?

– Straciłam dwoje, to znaczy dwa razy poroniłam, z Paolo... moim mężem... Nigdy nie mogłam mieć dzieci.

Powiedziała to, strzepując z obrusa okruszki chleba nerwowymi, powtarzającymi się ruchami ręki. Robiła to nadal, nawet gdy nie było już na stole żadnego okruszka.

– A pani?

Zapytała o to z nagłym uśmiechem, prawie światowym, i dała znak kelnerowi, aby podał dwie kawy. Opowiedziałam jej w skrócie o moich córkach, mojej pracy, słuchała grzecznie, myśląc o czymś innym, i czułam, że czeka niecierpliwie, aż skończę, aby powiedzieć wreszcie to, co leżało jej na sercu:

– Przez dziewiętnaście lat przeżywałam wyjątkową historię miłosną z człowiekiem, który podarował mi niezwykłe życie, i przez pewien czas myślałam, że bogowie wybrali mnie, abym uosabiała szczęście na ziemi. Uważałam innych, naszych przyjaciół, znajomych, za istoty, które nie miały tej łaski. Ich życie nie było prawdziwym życiem, tylko jakimś brudnopisem życia. Uważałam ich za ludzi, którym na pewno trzeba dać drugą szansę, tak bardzo ich egzystencja była nieudana i frustrująca... No i proszę...

– Kiedy Dario opowiedział pani o mnie?

– Nigdy.

– Słucham?

– Okłamałam panią wczoraj, mówiąc, że często mi o pani opowiadał. Posłużyłam się skrótem, poszłam najprostszą drogą.

– Jego matka pani o mnie powiedziała?

– Mimoune? Nie. To prawda, że często mówiła o Aix-en-Provence, uważała ten okres za jeden z najpiękniejszych w swoim życiu.

– Z pewnością! Dario nigdy pani o mnie nie mówił! Dario nie zamieścił tego ogłoszenia! Jest pani pewna, że nie może się obejść bez mojej pomocy?

– Dario pisał o pani. Wspaniałe strony. Przeczytałam je całkiem niedawno, zaraz po tym, gdy stracił pamięć. Oczywiście przeszukałam jego rzeczy, szukałam najmniejszego znaku, czegoś, co mogłoby mi pomóc, wyjaśnić... Och, nie wiem...

– Czy... skontaktowała się pani tylko ze mną, czy...

– Dario nigdy nie pisał o żadnej innej kobiecie.

– To był jego dziennik z młodości?

– Nie. Napisał to bardzo niedawno. Nie wiem, co chciał z tym zrobić. Jest takie miejsce, które Dario bardzo lubi, to mała zapomniana kapliczka na wzgórzu za domem, często chodził tam spacerować. Chciałabym, żebyście poszli tam razem dziś po południu, porozmawia z nim pani i... i...

– Tak?

– No, rozumie pani?

– Nie.

– Może pani być dla niego czuła, może pani...

– Zrobić wszystko, żeby odzyskał pamięć?

– Proszę.

Popatrzyła na morze, nie dodając nic więcej. Wybijała stopą rytm pod stołem, wiatr bez przerwy przywiewał jej włosy na twarz.

– To wiatr z północy – powiedziała. – Atlantycki.

Nie wiedziałam, czego się spodziewała po moim związku z jej mężem. Nie wiedziałam, czy jest godna pożałowania czy podziwu. Nagle odwróciła się do mnie i wyszeptała:

– Napisał, że była pani najczystszą dziewczyną, jaką kiedykolwiek spotkał. I najbardziej uzdolnioną w miłości.

Potem poprosiła o rachunek, kelner zawołał *„subito!”*, a kiedy powiedziała *„grazie”*, przysięgłabym, że nie zwraca się do kelnera, tylko do mnie.

Wróciłyśmy, a Dario nie było. Opiekunka była załamana, nie widziała, jak wychodził, na pewno wykorzystał chwilę, gdy była odwrócona, żeby sobie pójść. Podczas gdy Giulietta próbowała ją uspokoić, zastanawiając się, czy powinna zawiadomić policję, czy sama iść go szukać, ja cieszyłam się, że udało mi się uniknąć spaceru do kaplicy. Patrzyłam na Giuliettę, jej pozorne opanowanie, słuchałam poleceń, które wydawała, myślałam o tym, że wstawała co rano, tak jak ja wstawałam, że przez dwadzieścia lat przeżywała te same dni i te same godziny co ja, ona z Dario, ja z Markiem. I podczas gdy dla mnie był częścią dawnego, straconego życia, ona razem z nim planowała nadchodzące dni, organizowała wakacje, przy porannej kawie dotykała ręką jego policzka, czasem, gdy spędzała dzień w domu, zakładała jego koszulę, kaszmirowy sweter, a potem, wieczorem, szykowała się na wspólne wyjścia do miasta na kolację, na przyjęcia genueńskiej socjety, była piękna i świadoma tego, że on jest z niej dumny. Ja sprawdzałam obecność w klasie, ona budziła się u jego boku, spał przytulony do jej pleców, z ustami w jej włosach, ona wstawała pierwsza, i to zawsze ona mówiła mu, jaka jest pogoda. Gdy ja chodziłam z moimi córkami po ulicach, do kina, gdy stałam na peronie dworca, gdy kupowałyśmy ubrania na przecenach, gdy wszyscy razem pakowaliśmy samochód, robiliśmy sobie zdjęcia, gdy byłam z Markiem, piliśmy wino w kuchni, chowaliśmy się przed deszczem pod arkadami na ulicy Rivoli, przygotowywaliśmy kolację z jego rodzicami, włóczyliśmy się po sklepach ze starociami, po targach, ona żyła z Dario, wybierała menu, czasem robiła mu niespodziankę i sama gotowała, kupowała mu koszule marki Cerruti w trzech różnych kolorach, sadziła bez i oleandry w ogrodzie, w miejscu, gdzie lubił pić kawę i czytać „Corriere della Sera", przygotowywała urodziny Mimoune, kupowała dla niej francuską powieść, a potem, by jej sprawić przyjemność, prosiła ją, żeby opowiedziała o Aix, jakby słyszała tę opowieść po raz pierwszy. Giulietta i ja żyłyśmy w tym samym czasie w całkowitej nieświadomości swojego wzajemnego istnienia. Powoli, bez naszej wiedzy, życie Dario zmierzało do tego, żeby nas zetknąć twarzą w twarz, nie dając możliwości wykręcenia się. A teraz widziałam, jak chodzi po ogrodzie, wołając Dario łagodnie, jak się woła zwierzę, nie chcąc go przestraszyć i dodając sobie odwagi delikatnym tonem, a ja czułam tę chwiejną równowagę, w którą wtrąciła ją choroba Dario i niebezpieczeństwo, które wprosiło się do ich życia – tych, którzy nigdy się nie bali. Nigdy nie wstali w nocy z powodu gorączki maleńkiego dziecka, nigdy nie czekali na dziecko, które wraca późno do domu, na nastolatkę, która ma być w domu o północy, a pół godziny później ciągle jej nie ma, nigdy nie bali się o nikogo innego niż oni sami, byli swoim własnym lustrem, miarą czasu, który mija – pierwsze siwe włosy Dario, sala gimnastyczna urządzona na parterze w dawnym buduarze, bardziej dietetyczne posiłki, pierwsze okulary, dłuższe sukienki Giulietty, bluzki z mniejszym dekoltem. Przy tym wszystkim byli opanowani, zachowywali prostotę tych, którzy są bogaci i przyzwyczajeni do rozwiązywania każdego problemu, zawsze piękni, jeszcze piękni, i zakochani, gdy wszystkie pary wokół zawierają kompromisy i ogłaszają porażkę.

A teraz coraz szybciej przemierzała tarasy ogrodu wychodzącego na morze, a Morze Śródziemne nie otwierało już horyzontu, tylko go zamykało. W końcu wróciła do mnie, usiadła obok, pot płynął jej po twarzy, spływał na piersi. To były ostatnie lata tej pięknej kobiety, ostatnie, zanim ktoś powie: „musiała być bardzo ładna", zanim jej kobiecość stanie się tylko przypuszczeniem.

– Roberto, jego sekretarz, poszedł na wzgórze. Zna wszystkie ulubione miejsca Dario. Znajdzie go. Służba zawsze chce, żebym wezwała policję, ale nigdy się na to nie zgodziłam.

Odwróciła się w stronę morza, jak gdyby pytała je wzrokiem, a potem trochę się odprężyła i uśmiechnęła.

– Dario miał pasję, kolekcjonował piękne samochody. Musiałam schować kluczyki, żeby mieć pewność, że nie usiądzie za kierownicą. Mam do siebie o to żal, to okrutne tak zrobić... Dwa miesiące temu wyjechał alfą, nic się nie stało, to cud, że nic się nie stało, ale wrócił w strasznym stanie, kompletnie... kompletnie zdruzgotany, tak.

Patrzyłam na nią, nie pomagając jej. Chciałam, żeby sama sobie poradziła ze swoimi decyzjami, choć ja też miałam ochotę biegać i szukać Dario, ja też chciałam wołać go po imieniu w ogrodzie.

– To był taki wesoły człowiek, taki swobodny, nazywałam go *Invitato*, gość, bo zawsze wyglądał tak, jakby był w gościach. Wchodził do pokoju, chodził po plaży i po ulicy z uśmiechem kogoś, na kogo się zawsze czeka, rozumie pani?

– Był już taki. Mając siedemnaście lat.

Chyba na mnie spojrzała, naprawdę spojrzała, po raz pierwszy. Przebiła się przez swój ból, ośmieliła się popatrzeć na mnie jak na kobietę, która wiedziała o rzeczach dla niej niewiadomych. Potem opuściła głowę, żeby spojrzeć na swoje okulary przeciwsłoneczne, które obracała gorączkowo w ładnych palcach z pierścieniami, w brązowych dłoniach, na których pojawiło się już kilka plamek.

– Czasem przeklinam siebie za to, że nadałam mu taki przydomek... *Invitato*... Czasem patrzy na mnie, jakby życie było przyjęciem, które właśnie się skończyło, jest jak człowiek, który założył właśnie płaszcz i zaraz uniesie kapelusz, żeby się pożegnać i zniknąć.

Oparła się plecami o fotel, z rozłożonymi rękami, i wiedziałam, że nic więcej już na ten temat nie powie, nie była osobą, która wszystkim się zwierza.

– Dario jest inżynierem, wie pani?

– Nie. Skąd miałabym wiedzieć?

– Pracuje w porcie. To miejsce, gdzie prawie nigdy nie chodzę. Lubił swoją pracę. Bardzo.

– Lubił wszystko, co robił.

Właśnie naruszyłam jej prawa. Ciągnęłam:

– I wszyscy go lubili. To znaczy... W Aix tamtego lata marzyły o nim wszystkie dziewczyny, był chłopakiem, którego kochały i który... Dario chodził z każdą z nich.

Zaśmiała się cicho, zraniona:

– Dario jest wiernym mężczyzną.

– Pani tak.

– A pani nie?

– Z nami było inaczej.

– Myślę, że powinnyśmy pójść do portu.

– W jaki sposób by się tam dostał?

Wstała nagle i z uśmiechem powiedziała:

– Niech sobie pani wyobrazi, że jeździ autostopem!

Port był podobny do starożytnego miasta żyjącego niezmiennym, gorączkowym rytmem, któremu od wieków podlegali ci sami ludzie i te same towary, od wieków słychać było te same odgłosy: syreny, krzyki, rozkazy. Między statkami rozciągały się liny, w powietrzu czuć było zapachy smaru i rdzy, refleksy miasta odbijały się w brudnej wodzie, gdzie unosiły się śnięte ryby. Były tu też promy, stateczki przewożące turystów na krótkich trasach, była dostępna jedna broszura z informacjami o genueńskim porcie w wielu językach, wisiała nazwa touroperatora, a morze, obojętne na stojące tu statki, wydawało się nieruchome jak obraz oglądany przez turystów pochylających głowy i odwracających się od niego bez emocji, ponieważ niczego nie zobaczyli.

Długo szłyśmy, Giulietta i ja, mijałyśmy ludzi, którzy wydawali się nam wszyscy do siebie podobni, bo żaden z nich nie był Dario. Nawet jeżeli czasem kształt twarzy, chód, ruch ręki… ale to były tylko pojedyncze cechy mężczyzny, którego szukałyśmy, podobieństwa, które na sekundę przywracały nam nadzieję na to, że jeszcze go znamy i że szukanie go i myślenie o nim tu, w porcie w Genui, jest słuszne i rozsądne. Potem Giulietta wskazała mi duży okrągły budynek, przez którego przeszklone ściany widać było port. Stamtąd kierowano większą częścią międzynarodowego ruchu wychodzącego z Genui. Była to spółka, którą Dario zarządzał przez ponad dwadzieścia lat.

– Może to tam trzeba go szukać – powiedziałam.

– Zadzwoniliby do mnie, gdyby tam był – odparła z nagłym rozdrażnieniem.

– Nie, mam na myśli, że być może... byłoby dobrze porozmawiać z ludźmi, którzy z nim pracowali. Dowiedzieć się, czy coś się stało... W jego życiu... W pracy...

– Nie sądzę, żeby ludzie, którzy pracowali dla Dario, mieli ochotę rozmawiać z jego żoną.

Stała się ponura, a potem, nieoczekiwanie, rozgorączkowana.

– Może z panią? Może chcieliby rozmawiać z panią! Powiedziałybyśmy im, że jest pani... przyjaciółką. Bardzo bliską. Która prowadzi swoje śledztwo, co? Może tak im powiemy. Tak zrobimy. Zrobimy to!

Była pełna entuzjazmu, nerwowa, z pewnością wyczerpana tym, że od roku nie udało jej się do niczego dojść.

– Nie mówię po włosku – powiedziałam.

– Inżynierowie, którzy byli jego podwładnymi, bardzo dobrze mówią po francusku. Po angielsku też.

– A dlaczego inżynierowie mieliby mi pomóc? Co pani chce, żebym im powiedziała? O co mogłabym ich zapytać? Nic o nim nie wiem, już zupełnie nic.

– Nie sądziłam, że tu panią przyprowadzę, myślałam, że to będzie prostsze, że Dario, gdy panią zobaczy... Nie rozpoznał pani? To znaczy, nie zrobił jakiegoś... ruchu? Gestu?

– Mówiłam już pani: nie.

Nie powiedziałam jej, że przyjechałam na próżno, bo Dario odszedł do świata, na którego progu stał od zawsze, i żaden inżynier, żaden spacer na wzgórza nie spowoduje, że wróci. Teraz, gdy już tu byłam, postanowiłam grać w tę grę dla niej, bo go kochała i nie widziała, jak jego świat znikał. Kojarzyła mi się z kobietami, które chodzą po zgliszczach zbombardowanych miast, szukając swojego domu, i cieszą się, że rozpoznały jakieś drzwi. Nawet jeżeli za nimi nic już nie ma. Nawet jeżeli wszystkie ściany naokoło leżą w gruzach.

Tamtego dnia nie rozmawiałam z inżynierami. Jakiś przyjaciel znalazł Dario, zadzwonił do Giulietty na komórkę i wróciłyśmy do La Floridy. Zadziwiające było to, że telefon, zamiast uspokoić, doprowadził ją do stanu bliskiego panice. Zapytałam dlaczego.

– Nie po raz pierwszy znajdują go na tej drodze. Powinnam była o tym pomyśleć. Ale ze mnie idiotka, że nie pomyślałam!

– Liczy się to, że wrócił, prawda?

– Oczywiście.

*

Czekali na nas obaj w małym salonie, Luigi, ten przyjaciel, i Dario. Siedzieli spokojni, eleganccy, zasłuchani w koncert fortepianowy w radiu, sprawiali wrażenie, jakby to była dla nich jakaś szczególna chwila dnia, że ci dwaj przyjaciele mają w zwyczaju słuchać transmisji koncertu jak dwaj melomani, których łączy namiętność do Chopina czy Bacha, znajomość ich dzieł, że ci mężczyźni bez zastanowienia jeżdżą razem na koncerty do Mediolanu, Londynu czy Paryża, choć nie zawsze zgadzają się co do wrażliwości jakiegoś wykonawcy albo dyrygenta i mogą o tym dyskutować całymi nocami, popijając ulubiony koniak.

Ale byli to po prostu dwaj mężczyźni: jeden pilnował drugiego, a drugi się na to zgadzał. Bardzo szybko po naszym powrocie Luigi wyszedł i pożegnawszy się z Dario, szepnął do Giulietty:

– Któregoś dnia coś się stanie... On chodzi... prawie środkiem drogi, *cara*. Nie mówię tego, żeby cię niepokoić, ale zamknij kratę i schowaj klucze, nie daj mu więcej wychodzić... To trzeci raz na tej drodze! Proszę cię!

Giulietta nic nie odpowiedziała, więc objął ją bardzo mocno, długo trzymał przy sobie, i pomyślałam, że w dniu, w którym Dario umrze, Luigi powtórzy dokładnie ten sam gest, a w zapachu tego mężczyzny, w jego czułej gwałtowności ona odnajdzie dni, kiedy odwoził Dario i obejmował ją, i być może oboje wiedzieli, co zapowiada ten uścisk i do jakiego strasznego dnia ma ich przygotować.

Kiedy wyszedł, słuchaliśmy koncertu dalej w trójkę. Nie poruszaliśmy się, nic nie mówiliśmy, a chrząknięcia, lekkie pokasływanie między częściami utworów nie były nasze. Publiczność była bardziej od nas ożywiona i nie zapalając lamp, pozwoliliśmy, aby zapadł zmrok. Gdy koncert się skończył, rozległy się oklaski i można było myśleć, że w ten sposób gratulowano naszej trójce spokoju i uwagi. Giulietta wstała, wyłączyła odbiornik, włączyła światło i wyszła, mówiąc, że przygotuje nam „kolacyjkę".

Położyłam rękę na dłoni Dario. Zmieniła się, była grubsza, paznokcie lepiej utrzymane, a obrączkę nosił od tak dawna, że wydawała się prawie wrośnięta w skórę. Długo głaskałam tę rękę, a w niej miniony czas, po czym mocno ją uścisnęłam.

– Byłam dzisiaj w porcie – powiedziałam. – Nie wiedziałam, że pracujesz w porcie. Że jesteś *ingeniere*... Że lubisz luksusowe samochody, tego też nie wiedziałam. Muzykę dalej lubisz. Chcesz, żebym z powrotem włączyła radio? Chciałabym pójść z tobą na tę drogę. Mam trzy córki, zdajesz sobie sprawę? Nazywają się Zoé, Pauline i Jeanne. Wyjechały z domu. Ich pokoje są puste. Jak tutaj. Domy, mieszkania bez dzieci... Pewnego dnia już nie czekasz na nie. Umawiają się, żeby do mnie przyjechać, wcześniej dzwonią jak do lekarza, tak... Pierwszy raz, gdy cię zobaczyłam, całowałeś się z Coralie Finel, Stonesi śpiewali *Angie*, byliśmy młodsi niż moje córki, a teraz popatrz, mamy pięćdziesiąt lat... Dużo pracowaliśmy. Często płakaliśmy. Byliśmy też szczęśliwi... oczywiście, że byliśmy szczęśliwi. I często myśleliśmy, że nam się nie uda. Ty jesteś bogaty. Zawsze ci się udawało... To nie ma już znaczenia. To znaczy, czy jest się bogatym, czy biednym, teraz... Mamy po pięćdziesiąt lat. Twoja żona jest piękna. A ty jesteś... tylko trochę szerszy, życie wsączyło ci się pod skórę, w twoje kości, razem z powietrzem, słońcem, muzyką... Za twoją sprawą przypływały i odpływały statki z wszystkich krajów, ale ty chodzisz środkiem drogi. Giulietta mówi, że nigdy nie pływałeś statkiem. Pokażesz mi swoją małą kapliczkę, jeżeli będziesz chciał? Jestem mężatką od bardzo dawna. To mężczyzna, który zawsze chciał, żeby mi było dobrze, cały czas o tym myślał, tego dla mnie chciał przez dwadzieścia pięć lat. Kiedy wyjeżdżałeś, kiedy twoja mama czekała na ciebie przy samochodzie, żegnaliśmy się w lasku sosnowym, było jednak trochę zimno, to był wrzesień, ale jednak... Nie wiem, ile czasu nam zostało. Tak czy inaczej, to nic. Ale powinieneś przeżyć ten czas, który ci pozostał, nie powinieneś robić tego, co robisz...

Położyłam głowę na jego ramieniu. Jego skóra. Krew pod skórą. Galop w tętnicach. I żyły, bardzo cienkie. Na skroniach. Jego nadgarstki. I ta, którą najbardziej kochałam, w zagłębieniu szyi, pod jabłkiem Adama. Słuchał mnie, nic nie mówiąc. Nie reagując. Ale zanim Giulietta wróciła, położył dłoń na mojej twarzy, tak jak kładzie się rękę na czole kogoś zmęczonego – z czułością, za którą nic się nie kryje, z uwagą, która o nic nie prosi.

Następnego dnia Giulietta zawiozła nas na wzgórze, gdzie stała kapliczka, którą Dario lubił. Zatrzymała samochód pod drzewem i powiedziała, że na nas zaczeka. Zanim wysiadłam, w lusterku zobaczyłam na sobie jej wzrok, który jeszcze raz mówił mi, że mogłam, że powinnam spróbować wszystkiego. Nagle stało się to nie do zniesienia i zaczęłam się zastanawiać, czy kochała Dario, czy był on po prostu jej obsesją, bo nie mogła zaakceptować tego, że rozpada się ich związek, że ich przykładne małżeństwo pogrąża się w śmieszności. Czy Dario też to czuł? Czy ta cisza była ceną, którą kazał jej płacić, ceną za dwadzieścia lat przesadnie eksponowanego życia, ciągłego spektaklu ich miłości…?

Wysiedliśmy z samochodu i oboje poszliśmy w stronę kaplicy. Znów czułam czarne spojrzenie Giulietty, wahające się między prowokacją a zachętą, i pomyślałam, że ta chwila nie była do nas podobna, do mnie i do Dario, ta chwila nie miała w sobie nic prawdziwego. Była zaplanowana i przewidywalna. Pomyślałam, że nie chcę przeżywać z nim czegoś tak miernego. Pomyślałam, że nie wygląda na człowieka, który lubi to miejsce bardziej niż inne, i nie rozumiałam, dlaczego nagle jego mózg miałby zacząć działać normalnie tylko z tego powodu, że byliśmy na tym wzgórzu, podobnym do tylu innych, porośniętym ostami, spaloną trawą, poskręcanymi drzewami. I pomyślałam też, że właśnie niszczę swoje najpiękniejsze wspomnienia.

– Czasem ma się dość – powiedziałam nagle. – Dość tego, czego inni od nas oczekują, nie sądzisz? Czego chcesz? Czego wy oboje oczekujecie?

Być może na tym bym poprzestała, gdyby się nie uśmiechnął. Być może zrobiłabym to, czego ode mnie oczekiwano, gdyby nie ten uśmiech, niewinny wyraz twarzy, niezmienny mimo upływu tylu lat. Ale uśmiechnął się w sposób, który oznaczał, że mnie usłyszał i zrozumiał, że być może myślał o moim gniewie i o mojej odmowie. Gdyby nie ten uśmiech, weszłabym do opustoszałej kapliczki i patrzyłabym na puste kropielnice, ślady po obrazach, które zniknęły z popękanych ścian, modlitewnik leżący na ziemi obok mysich odchodów, kiwałabym głową, obserwując światło przenikające przez rozbite witraże, i mówiłabym, że rozumiem, dlaczego tu przychodzi, naprawdę, jak musiał się tu dobrze czuć, bo czyż życie nie jest jednym i tylko jednym: zniszczonym świętym miejscem? A potem, ponieważ by nie zareagował, pomyślałabym oczywiście o jego żonie w samochodzie, która czekała, patrząc na zegarek: ile czasu zabierze tej Francuzce spowodowanie, żeby wreszcie w ten czy inny sposób przemówił? Przede wszystkim w inny. Czy piękny Dario jest jeszcze zdolny do tego, by być mężczyzną? Czy ma jeszcze na to ochotę? A dlaczego nie przyprowadzała mu świeżych, młodych mężczyzn, z lekka okrzesanych chłopaków z portu? Przekroczenie granic z obu stron, trzeba przynajmniej doprowadzić tę grę do końca. Ale się uśmiechnął, więc zaczęłam do niego mówić. Dokładnie tak, jak miałam ochotę. Nie próbując go przyciągnąć ani w żaden sposób poruszyć.

– Zawsze byłeś tym, kim inni chcieli, żebyś był. Przykładnym synem. Wielokrotnym kochankiem. Przystojnym, bogatym mężem. Wspaniałym *ingeniere*. Ile to już czasu, Dario? Ile czasu czekasz, aż to się skończy, ten perfekcjonizm? Może nie masz nic do powiedzenia? Może nigdy nie miałeś nic do powiedzenia. To śmieszne, żeby w wieku pięćdziesięciu lat pisać o mnie, ta nostalgia starzejącego się człowieka... Po prostu zostawiłeś to gdzieś na wierzchu, żeby piękna Giulietta to znalazła, co? Mógłbyś ją zdradzić, zgadzam się, to mniej oryginalne, no ale ten patetyczny romantyzm... Zresztą może ją zdradziłeś, kto wie. Z nie tak pięknymi kobietami, które niżej stawiały poprzeczkę, z którymi mogłeś być sobą i które akceptowały cię nawet wtedy, gdy byłeś kiepski, słaby, zmęczony. Ale Giulietta... Jeżeli ty upadniesz, ona też upadnie, to dramat kobiet, które bardzo kochają, kobiet z klasy średniej, dramat pięknych par... Nie można wygrywać na wszystkich polach, pewnego dnia trzeba zapłacić za szczęście.

Oparł się plecami o ścianę, saletra oprószyła mu plecy. Włożył ręce do kieszeni i dalej mnie słuchał.

– A teraz – ciągnęłam – wielki inżynier gra chorego, zranionego człowieka, a kobiety przychodzą do jego wezgłowia, pochylają się nad jego bólem, tracą go, przywożą, niepokoją się, czy trzeba pozamykać drzwi, schować klucze, powiadomić policję, a jego żona za życia zostanie uznana za świętą, wspaniale! W ten sposób nawet w chorobie jesteście wzorowi, tak różni od innych, od tych, którzy robią sobie rezonans magnetyczny i łykają proszki, nie, wy jesteście bardziej... no tak, jesteście bardziej artystami!

Słuchał uważnie i patrzył na mnie, pochylając głowę zupełnie tak, jak na placu Dominikanów trzydzieści lat wcześniej, gdy czekał na mnie, a ja szłam do niego szczęśliwa, czując w sobie życie i traktując je jak coś pewnego. Więc ciągnęłam dalej.

– Wiesz, co zrobiłam, żeby tu być? Przyjechałam sama samochodem aż z Paryża, po drodze spotykałam zwykłych ludzi, ludzi, którzy naprawdę, naprawdę są na dnie życia, nędzarzy, szaleńców, autystyków, kobiety żyjące w przyczepach kempingowych bez kół, barmanki na autostradzie, fałszywych magików i jeszcze moją córkę, moją starą małą siostrę. Pamiętasz Christine? *To moja modlitwa?* Spotkałam ludzi, którzy nie mieszkają na wzgórzach z widokiem na morze, ludzi tkwiących obiema nogami w bagnie, którzy nie udają żadnych tajemnic. Rozumiesz to, Dario?

Odepchnął się ramieniem od ściany, wyjął ręce z kieszeni i nie uśmiechając się już, szedł w moją stronę. Był poważny jak człowiek, który widzi nagle całe swoje życie i w jednej sekundzie wyrzuca je za burtę.

Wziął moją twarz w dłonie, a ustami dotknął moich ust. Jego twarz rozmazała mi się przed oczyma, tak blisko był mnie i tak blisko mojego wnętrza, w tajemnicy. To był ten sam zapach, znany, dający bezpieczeństwo. Znów dryfowaliśmy, trzydzieści lat później, oddychaliśmy razem w kołyszącym się czasie, niewiarygodna chwila, nieosiągalna, bo kto mógłby przypuszczać, ośmielić się? Czy rzeczywiście chciał mnie pocałować jak wcześniej, czy po prostu w jego niepewności zadziałał dawny odruch? Czy chodziło mu o mnie, czy po raz kolejny robił to, czego od niego oczekiwano? Ja całowałam jego, Dario. Całowałam stracony czas i obsesyjną przeszłość, całowałam wróconą nam młodość, całkiem bliską otchłań i moją pierwszą miłość, po raz ostatni.

Pozostaliśmy na progu młodości, pozostaliśmy przy pocałunku, przy tej najwyższej intymności pocałunku, ze złączonymi wargami, językami, które szukają się i zestrajają z sobą. I tym pocałunkiem, tak długim, zmieniającym się, bezwstydnym i wielkodusznym, w tej walącej się kaplicy, przyznaliśmy, że życie przynajmniej jeden raz miało sens i smak. Życie przynajmniej jeden raz zostało uświęcone.

Byłam zdecydowana wyjechać jeszcze tego samego popołudnia. Z kaplicy trzeba było przecież wyjść, wsiąść do samochodu, gdzie na Dario czekała Giulietta, jak jego matka trzydzieści lat wcześniej w lasku sosnowym w dniu naszego pożegnania, i jeżeli nawet dostałam pozwolenie na godzinne sam na sam, to nie dostanę go na więcej, wiedziałam to. Ta kobieta nigdy już nie pozwoli mi spędzić ani jednej nocy pod swoim dachem, chyba że jest naprawdę szalona albo zboczona.

Czekała na nas oparta plecami o samochód, rozmawiając przez telefon, ale rozłączyła się, gdy tylko nas zobaczyła. Patrzyła na nas w niemym osłupieniu. Zanim zwróciłam jej mężczyznę, którego kochała, uśmiechnęłam się do niej neutralnie. Otworzyła przed nim drzwi samochodu, ale Dario obszedł samochód i ruszył pieszo małą ścieżką schodzącą aż do drogi.

– Trzeba go zostawić – powiedziała do mnie. – Spotkamy się z nim na dole, niech pani wsiada!

Tym razem usiadłam z przodu, obok niej. Na usta cisnęły się jej pytania, których nigdy nie zada i które dręczą ją do tej pory. Wyminęła samochodem Dario, aby poczekać na niego kilka metrów niżej.

– Zaraz wyjeżdżam – powiedziałam.

– Mówiła pani, że jutro.

– Zmieniłam zdanie.

– Zgodziła się pani porozmawiać z inżynierami w porcie.

– To pani powinna tam pójść, pani jest jego żoną.

– To są twardzi ludzie. Nie lubią mnie. Boję się iść tam sama.

– Słucham?

– Boję się tych wszystkich ludzi, którzy będą mi o nim opowiadać. Boję się, że będą o nim mówić źle, to okropne, że ich potrzebuję, dlaczego do tego stopnia potrzebujemy innych? Dlaczego nie zgadza się pani, żeby pani mąż tu przyjechał?

– Podsłuchuje pani pod drzwiami?

– Od czasu gdy Dario zachorował, podsłuchuję pod drzwiami, przeszukuję dokumenty, zapalam świeczki dla świętej Rity, dlaczego nie chce pani, żeby przyjechał?

– Byłoby to pani teraz na rękę? Żeby przyjechał?

– Będzie tu dziś wieczorem.

I zanim zdążyłam cokolwiek powiedzieć, wysiadła z samochodu, który zatrzymała obok Dario. Pocałowała go łagodnie, poprawiła mu kołnierzyk i strzepnęła z jego ramion ślady pajęczyny i saletry. Znów miała do niego prawo i korzystała z niego. On stał z obojętną miną, trochę zagubiony.

– Emilie zostaje trochę dłużej, niż zamierzała – powiedziała, gdy siadał z tyłu. Potem obróciła się w moją stronę:

– Marc przylatuje dzisiaj samolotem o dwudziestej pięćdziesiąt, byłoby szkoda, gdybyście się minęli. – I dodała cicho: – Podrzucę Dario do domu, a potem pojedziemy do portu.

W tej chwili powinnam ją była znienawidzić. Ale Dario położył jej rękę na karku, podczas gdy ona prowadziła, i oboje wydali mi się szaleni. I zachwycający.

*

Gdy przyjechaliśmy do La Floridy, zamknęli się na chwilę w saloniku. Skorzystałam z okazji i zadzwoniłam do Marca. Miał akurat kurs i nie bardzo mógł ze mną rozmawiać. Usłyszałam *La vie en rose* i zapytałam go, czy wiezie Amerykanów, ale to byli Japończycy, fani Marion Cotillard. Świat jest dziwny.

– Ta kobieta już dwa razy zasłabła od czasu, gdy przyjechali do Paryża, uważa, że paryżanie są agresywni, źle ubrani i zupełnie nieromantyczni, powiedziała mi to wszystko po angielsku, ale kiepsko mówi. Obwożę ich po starym Paryżu, trzymam się jednak blisko szpitali, ona się boi, że znów zasłabnie.

– Jeździsz w okolicy Hôtel-Dieu?

– Hôtel-Dieu, Trousseau, Cochin, będę musiał się znieczulić na Edith Piaf, zaczynam mieć na nią alergię.

– Będziesz miał czas się spakować?

– Walizka jest w bagażniku. Widzę, że Giulietta nie mogła się powstrzymać… „*Yes! Yes! The famous Jardin des Plantes, Garden Plants…*”

– Mówisz o niej „Giulietta”, jesteście w zadziwiająco poufałych stosunkach!

– Mniej poufałych niż ty i jej mąż, zapewniam cię. „*Yes, la Salpêtrière was a famous hospital for crazy women, yes, crazy women*”, muszę kończyć, mają ochotę na naleśniki, jadę z nimi na Montparnasse.

– A na Montparnassie jest jakiś szpital?

– Szpital, dworzec i pomnik Rodina… Całuję cię.

I się rozłączył.

Mimo woli śmiałam się ze sposobu, w jaki Marc dawał mi do zrozumienia, że to, co robię w Genui, nie ma znaczenia. Zawsze twierdził, że wszystko jest dobrze, powinniśmy iść naprzód, uznając siebie za dwoje żyjących w pośpiechu optymistów, którzy niebezpieczne pytania odkładają na później, z nadzieją, że czas stopniowo je zatrze i że radość życia zwycięży nad bólem. Mimo woli robiłam to samo co on, nie wiedząc, czy mam w brzuchu bombę zegarową, czy w końcu rzeczywiście zwycięży radość życia.

Z saloniku dochodził mnie monolog Giulietty... Służąca musiała podawać im herbatę, słyszałam, jak wchodzi i wychodzi, jak przesuwa stolik na kółkach, a porcelanowe filiżanki pobrzękują. Weszłam do gabinetu Dario.

Okno wychodzące na Morze Śródziemne było szeroko otwarte, nie słyszałam morza, było dalekie jak świat za oknem widziany przez chorego człowieka, który ma przejmujące poczucie, że znajduje się na krawędzi życia, nie może stać się na powrót jego częścią mimo szczerych chęci, a najbardziej znajome dźwięki docierają do niego jakby przytłumione i abstrakcyjne. Trwa w pełnej drętwoty samotności, w lenistwie, które nie jest lenistwem, ale z którym nie da się walczyć. Świat wymyka mu się z rąk powoli, a on widzi, że się osuwa, że upada, i mimo zdziwienia, że to następuje JUŻ, poddaje się i być może nawet roześmiałby się, gdyby mógł z tym skończyć, gdyby nie strach przed tym, co go czeka, gdy nadejdzie pustka. Leżałam na łóżku, w którym przeszłość była bliższa niż teraźniejszość, bardziej namacalna i prawdziwa, gdzie miała znaczenie i sens. Teraźniejszość niewiele już znaczyła, a godziny odmierzały czas, ale nie wpisywały się w ciała, było to życie w nieruchomej pozycji, aż do szaleństwa.

Podeszłam do biurka Dario, usiadłam na jego miejscu w dużym fotelu z brązowej skóry i otworzyłam szufladę. Potem drugą. Potem jeszcze jedną. Przeszukiwałam każdą z nich metodycznie i spokojnie. Rachunki, programy z teatru i opery, zdjęcia Giulietty, zawsze pięknej i uśmiechniętej, w miastach, na tarasach, drogach, dalekich plażach, doskonały świat szczęśliwej pary, która może podróżować, ma przyjaciół w wielkich stolicach, ma zwyczaj bywać w Nowym Jorku, Bombaju czy Saint-Rémy-de-Provence, która odległości mierzy godzinami lotu i przebywa je z wdziękiem ludzi, na których samopoczucia nie mają wpływu żadne różnice czasowe, żadne zmiany diety ani klimatu. Ale nagle w mechanizmie Dario coś się zacięło. I jego śliczny świat stał się biały.

Po prostu i jednoznacznie biały.

Lustro. Szyba. Lepsze byłoby nawet coś przezroczystego. Można byłoby się w tym przejrzeć, odgadnąć jakieś kontury, poszukać oparcia. Ale wszystko stało się po prostu białe. Żadnej plamki. Śladu. Tylko ogromna biel bez najmniejszej rysy. Chciałam odnaleźć te słowa, które napisał o mnie, nie z narcystycznej ciekawości, nostalgii czy z urazy, ale dlatego że w tej kaplicy, równie pustej jak teraźniejszość Dario, nie trzymałam w ramionach ducha, lecz mężczyznę, który dawał mi to, co dawał mi już wcześniej, byłam w niego wpisana i on tego nie zapomniał, byłam tego pewna.

Znalazłam zdjęcia Dario, gdy miał dwadzieścia lat, późniejsze, jeszcze późniejsze i jeszcze późniejsze. Na jego ciele, skórze, włosach powoli odciskały się znaki czasu, ale ten czas obchodził się z nim czule – Dario ciągle był piękny, bez wysiłku unosił się nad światem popychany lekkim wiatrem przybywających mu lat, jakby naturalną i nieuniknioną bryzą. Uśmiechał się za kierownicą sportowych samochodów, mercedesów cabrio, był dumny, wystawiał łokieć przez otwarte okno, z nogą na pedale gazu czekał, aż ktoś zrobi mu zdjęcie, aby ruszyć w drogę, a w jego łakomym, nieco wyniosłym uśmiechu i rozbawionym spojrzeniu było widać oczekiwanie na przyjemność.

– Tego, czego pani szuka, nie ma w tym gabinecie.

Nie słyszałam, jak nadeszła Giulietta. Patrzyła na mnie bez zaskoczenia i bez sympatii. Nie ruszyłam się z fotela, obróciłam się na nim powoli w jej stronę i zamknęłam szuflady.

– Więc może w pani gabinecie? – zapytałam.

Podeszła, aby odłożyć na miejsce zdjęcie Dario, którego nie zauważyłam.

– Nie wiem, co zrobić z jego samochodami. Przed chorobą jeździł porsche, codziennie, a potem, pewnego dnia… wyrzucił kluczyki do morza. Niewiarygodne, prawda? Nie chciał już jeździć tym samochodem. Zamówił astona martina, już gdy… to znaczy… gdy mu go dostarczono, już nie mówił. I w końcu to ja schowałam kluczyki od innych samochodów… Mówiłam to już pani. Nie wiemy, co robić. Z drzwiami. Bramami. Zupełnie nie wiemy, co robić z kluczami. Nie musiała pani szukać w jego rzeczach, pokazałabym pani to, co chciała pani zobaczyć, wystarczyłoby, gdyby mnie pani zapytała.

– Chyba może to pani zrozumieć, pani też przeszukuje szuflady, podsłuchuje pod drzwiami, powiedziała mi to pani.

– Nie trzeba wierzyć we wszystko, co mówię.

– Wydaje mi się, że zauważyłam.

– Pani nie okłamała.

– Pani nigdy nie będzie czuła, że kłamie, pani kompletnie nie wie, co to jest prawda. Pani pojęcie szczerości jest całkowicie błędne. Co pani robiła przez cały ten czas, gdy byłam w kaplicy z pani mężem?

– Czekałam.

– Dzwoniąc do mojego męża?

– Proszę łaskawie wstać, poukładam dokumenty.

Wstałam, pozwalając jej uporządkować szuflady i cały czas na nią patrząc.

– Dobrze mu zrobił pobyt w kaplicy?

Na chwilę zastygła, trochę zaskoczona, po czym się uśmiechnęła.

—

– Jeżeli chodzi o Dario, straszne jest teraz to, że nigdy nie wiem, czy życie go obudzi czy unicestwi… Nie wiem, czy to dobrze, czy to dobre dla niego, że spotkał się z panią, czy to będzie cudowna przemiana czy katastrofa. Wie pani, ja improwizuję, codziennie improwizuję, nie wiem już, co mam robić… Zanim doznał amnezji, miałam w życiu wszystko, Dario mówił: „jutro wyjeżdżamy", „zarezerwowałem to, tamto", „mam niespodziankę, prezent"… Pani jest silna, pani potrafiła urodzić dzieci, wychować je, zatrzymać przy sobie mężczyznę, pracować. Jest pani prawdziwą kobietą, zaskakującą. Przyjechała pani aż tutaj samochodem, sama… Ja nie potrafiłabym tego zrobić, nie miałabym pani odwagi. A teraz, z powodu mojego niezrozumiałego zachowania, jest pani zmuszona robić to, czego nigdy pani nie robiła, wiem, węszyć w ukryciu… Proszę mi to wybaczyć.

Ponieważ nie była kobietą, która długo się nad sobą rozczula, dodała:

– Teraz musimy iść do portu.

I po raz kolejny poszłam za nią.

Daniele Filippo, inżynier, najbliższy współpracownik Dario, okazał lekkie rozdrażnienie, gdy zobaczył, że Giulietta wchodzi do jego biura. Zanim zdążył cokolwiek powiedzieć, wyjaśniła mu bardzo szybko i po francusku, że to ja – bardzo bliska przyjaciółka Dario – chciałam się z nim zobaczyć, że tak bardzo nalegałam, przyjechałam z tak daleka, że musi się zgodzić ze mną porozmawiać. Powiedział, że się zgadza, ale nie może nam poświęcić wiele czasu. Za wielkim oknem jego biura widać było statki płynące jakby z lekceważeniem typowym dla tych, którzy odchodzą powoli i bez wyrzutów sumienia. Spoglądał na nas wzrokiem pełnym rozczarowania i mało przyjaznym.

– Co mówią lekarze? Coś nowego? – zapytał po francusku, jak gdyby chciał dać nam do zrozumienia, że to ich powinnyśmy się radzić.

– Lekarze? – odparła Giulietta. – Oni nic nie znajdują i pan o tym wie. Żadnych nieprawidłowości w mózgu, wszystko wzięli pod uwagę, niewydolność naczyń mózgowych, uraz czaszki, nowotwór... Ale to wszystko nie to. Moja przyjaciółka chciałaby się dowiedzieć...

Przerwał jej jak profesor zirytowany przez uczennicę, którego pobłażliwość się skończyła.

– Uważa pani, że jest obłąkany? – zapytał.

– Słucham?

– Pytam, czy uważa pani, że mąż jest obłąkany.

Przez chwilę patrzyli na siebie, mierząc wzajemną antypatię. Czułam się poza tym wszystkim, już czas było zabrać głos, odegrać swoją rolę.

– Pani Contadino i ja chciałybyśmy wiedzieć, czy przyczyną amnezji mógł być jakiś wstrząs psychiczny – powiedziałam. – Rozmawiamy z wszystkimi bliskimi mu osobami, a pan był w dobrych stosunkach z Dario.

Odchrząknął, przez chwilę patrzył przez okno na świat, który poruszał się w ciszy za grubymi szybami, na statki, którymi zarządzał teraz, gdy Dario już tu nie było, gdy Dario nie był już jego przełożonym.

– Nic pan nie zauważył w dniach poprzedzających chorobę? Nic się tu nie wydarzyło, nie było żadnego problemu w pracy, żadnego zajścia?

Czułam się jak kompletna idiotka, zadając te banalne pytania, nie wiem, co dałabym za to, żeby ten nieuprzejmy facet wyrzucił nas za drzwi.

– Nie, nic nie zauważyłem. Wspaniale było pracować z nim przez wszystkie te lata. To był szczęśliwy człowiek. Muszę panie pożegnać, mam ważne spotkanie.

Przed wyjściem Giulietta rozejrzała się po pomieszczeniu, jak gdyby jakiś przedmiot, szczegół, mógł powiedzieć jej coś o Dario. Na progu odwróciła się do inżyniera.

– Szczęśliwy człowiek? Ma pan na myśli wesoły? W dobrym nastroju? Wspaniałomyślny?

– Mam na myśli: szczęśliwy.

– I?

– I pewnego dnia przestał nim być. Całkowicie. Nie wiem dlaczego.

Popatrzył na zegarek. Potem na Giuliettę. Zastanawiając się, kogo wybrać...

– Ale pani też musiała to zauważyć, prawda? To niemożliwe, żeby pani tego nie zauważyła – powiedział.

Przez chwilę patrzyli na siebie w milczeniu, oboje wahając się, a potem nagle pokazał nam drzwi, rozkładając szeroko dłoń. Giulietta rzuciła mu ponure spojrzenie, które miało znaczyć, że pojedynek nie jest zakończony.

*

Chodziłyśmy więc po porcie, chodziłyśmy, milcząc w tłumie, milcząc pośród gwaru, zamętu, a potem usiadłyśmy na murku, z nogami w powietrzu. Nic już nie miało sensu. To spotkanie z Daniele Filippo, na którym Giulietcie tak zależało, miało smak osobliwej porażki. A teraz co mogłyśmy zrobić? Co jeszcze mogłyśmy zrobić dla Dario?

– Jak się nazywają pani córki?

– Moje córki? Nazywają się Zoé, Jeanne i Pauline.

– Jak się wybiera imię dla dziecka?

– Nie wiem... Przez kilka miesięcy robi się listy imion, wymawia się imiona, które nigdy nie będą należały do tego dziecka, imiona, które się testuje, mówi się je przyjaciołom, wieczorem w łóżku, matce przez telefon... A potem się o nich zapomina...

– Ale w końcu pewnego dnia któreś się wybiera.

– Tak. Któreś się wybiera.

Patrzyła na horyzont, przygryzając wargi, z przymrużonymi oczyma, i nie wiedziałam, czy próbuje zapanować nad swoimi emocjami czy usiłuje coś sobie przypomnieć. Pomyślałam, że może żałuje, iż nigdy nie miała dzieci, może mówi sobie, że gdyby dała Dario dzieci, nie opuściłby jej tak, nie porzuciłby ich dwojga. A potem westchnęła, kilkakrotnie kiwając głową, i zwróciła się do mnie:

– Coś pani pokażę.

Poszłyśmy do samochodu. Do portu zawijał statek z Malty, azjatyccy turyści kierowali się w stronę promu, idąc za uniesionym parasolem przewodnika, i z przerażenia, że mogą go zgubić, nie patrzyli na nic wokół. Szpikulec parasola nad portowym chaosem. To mógł być punkt orientacyjny.

*

Oczywiście, powiedziała mi Giulietta, to nie pensja inżyniera pozwalała Dario kupować sportowe samochody. Mieli oboje dużo pieniędzy, pochodzili z bogatych rodzin, pieniądze płynęły bez przerwy, przepływały po prostu z jednego pokolenia na drugie, jak rzeka po zdobytej przed wiekami ziemi, oczywistej i trwałej. Pieniądze były. Po nich, ponieważ nie mieli dzieci, wszystko się urwie. Przekażą je innym: La Florida stanie się rezydencją artystów, którzy będą składać podania, pisać listy, aby mieć prawo tu przyjechać, aby otrzymać stypendium z ministerstwa i postawić komputer albo położyć pędzle czy nuty w jednym z pokoi. Patrzeć na morze i być może żałować, że jego obecność mniej sprzyja koncentracji niż biała ściana albo dachy metropolii, spacerować wieczorem w ogrodzie i czuć, że są zbyt daleko od miasta, że zbyt gwałtownie zostali skonfrontowani z ich profesją, z efektem, który koniecznie powinien zwieńczyć ten wyjazd dla wybrańców losu. Sam dom zostanie taki sam, tajemniczy, podniszczony, wciąż zawieszony między dwoma wiekami, ale stawiający im opór całą swoją dumą, swoją straszną urodą, dom, który miał więcej pamięci niż ostatni z jego właścicieli, więcej wspomnień niż Dario i który jego nieobecność przyjmował z równą prostotą co jego obecność. Koniec końców, to dom ciągle wygrywał. W jego wnętrzu następowały po sobie kolejne postacie, kolejne istnienia, pokolenia, można było narodzić się i umrzeć, cieszyć się i cierpieć, otrzymywać dobre albo złe nowiny, biegać albo się dręczyć, bić głową w mur albo tańczyć w kuchni, krzyczeć na schodach, z radością, z wściekłością, można było postawić w hallu walizki, wołając: „to ja!", i poczuć niepowtarzalny zapach własnego domu, usłyszeć, jak trzaskają drzwi, a potem usłyszeć kroki mężczyzny lub kobiety, którzy zaraz znajdą się w naszych ramionach. Mury domu trwały. A między tymi murami umierali wszyscy, którzy choć przez chwilę poczuli zawrót głowy, bo uważali się za nieśmiertelnych. Inni po prostu się pojawiali, fale ludzi, którzy chcieli być szczęśliwi w tym życiu, w tym domu, a potem już nic, zastępcy, zawsze bez końca zastępcy, a ściany domu milczały. Może Dario stał się tym domem. Może widział i milczał, czuł wstrząsy świata i czekał, aż przeminą, bo przeminą, niechybnie niedługo odgłos naszych kroków w tym za dużym dla nas wszechświecie będzie wydawał się śmieszny i błahy.

Giulietta na pewno nie była tego zdania i na pewno żałowałaby mojej obecności, gdyby wiedziała, do jakiego stopnia uważałam jej bieganinę za zbędną, jej poszukiwania za skazane z góry na niepowodzenie. Chciała pokazać mi coś związanego z tymi sportowymi samochodami, „z porsche boxsterem", dodała. Poddawałam się jej, zastanawiając, czy robi to dlatego, że jest taka zakochana, czy przegrana. Czy nie powinna stanąć naprzeciw Dario, spojrzeć mu w oczy, patrzeć długo, i w końcu powiedzieć, że się zgadza? Ale wtedy musiałaby popłynąć z nim, pozwolić sobie i jemu dryfować i zrezygnować. A ona przecież żyła i nie zamierzała iść za nim na śmierć. Życie to nie poezja.

*

– Niech pani popatrzy! Niech pani na to popatrzy. Co pani o tym myśli?

Podniosła plandekę, którą był przykryty zielony boxster stojący w olbrzymim garażu, szary kurz wzbił się w powietrze, po czym opadł na nas, trochę tak jakby to samochód wydmuchiwał ten kurz. Nie rozumiałam, na co mam patrzeć. Samochód był piękny, nowy, niepotrzebny, kluczyki leżały na dnie morza, a cudowny silnik od dawna nie pracował. Dziwne, że Dario kolekcjonował takie wielkie samochody i nigdy nie wyjechał, to znaczy nigdy nie wyjechał naprawdę.

– Z przodu – sprecyzowała Giulietta. – Widzi pani?

Karoseria była uszkodzona. Prawie nic. Ale uszkodzona. Kamień, wyrwa w drodze, jakieś małe zwierzę, niewielkie zderzenie... a potem?

– No i? – zapytałam. – Gdyby pani wiedziała, ile razy mój mąż wgniótł swoją taksówkę...

Popatrzyła na mnie, jakbym była największym intruzem w całym wszechświecie, przedstawicielką obcego plemienia. Pełnym wściekłości ruchem opuściła plandekę i samochód na powrót stał się nieruchomym kształtem, który ostatecznie niczemu nie służył.

Giulietta dołączyła do mnie w ogrodzie, światło było przezroczyste, poczułam żal, że Marc przylatuje nocą i nie zobaczy tej ogromnej przestrzeni, wzrok nie napotykał nic brzydkiego, i w tym momencie uświadomiłam sobie, jak bardzo jestem szczęśliwa, że przyjeżdża, że przywiezie mi z sobą trochę naszego życia, naszą zażyłość i dające pewność siebie porozumienie.

– Wyrzucił kluczyki do morza, nie rozumie pani? Jest pani jak ci lekarze, którzy myślą, że to był pierwszy epizod, tak, oni tak mówią, „pierwszy epizod" zwyrodnienia mózgu?

Facet wariuje, wrzuca kluczyki porsche do morza, a potem milczy? Pamiętam ten wieczór, kiedy wrócił, był blady, wstrząśnięty i pił całą noc. Zobaczyłam samochód i pomyślałam, że kogoś przejechał, nie chciał nic powiedzieć, nie mógł mnie znieść, niczego nie mógł znieść, jeździłam po wszystkich szpitalach, dzwoniłam do przyjaciół, którzy jeździli po komisariatach i nawet kostnicach, i nic, tamtego wieczoru nie było żadnego wypadku drogowego, tamtego wieczoru w całej Genui nie nastąpiła żadna nagła śmierć, pomyślałam, że to był może jedyny wieczór w roku, kiedy w Genui panował spokój, jedyny wieczór, kiedy wszystko się zatrzymało, śmierć, przemoc, i mężczyzna, którego kochałam, też się zatrzymał, staliśmy się jak Wezuwiusz, rozumie pani? Znajdujemy się u stóp Wezuwiusza i nasze życie zastygło, a pani nie chce mi pomóc, nie chce pani tego, widzę to, pani w nic nie wierzy!

– Co pani chce, żebym zrobiła poza tym, co zrobiła już pani? A ten inżynier Daniele Filippo, myśli pani, że nie zrozumiałam? Nachodzi pani tego człowieka od miesięcy, ciągle jeździ pani do portu, w kółko, zawsze z tymi samymi pytaniami, i myślała pani, że jeśli będę tam z panią, Filippo będzie inny, nie wyrzuci pani od razu za drzwi, tak? Teraz to pani jest wariatką, w oczach świata to pani nią jest. Nic na to nie poradzę.

Stała wyprostowana, moje słowa jej nie zraniły, ale była zdeterminowana, jeszcze bardziej zdeterminowana, jeżeli to możliwe.

– Coś się wydarzyło, wiem to. Powinna pani mi uwierzyć i pomóc. Gdyby coś się przydarzyło jednej z pani córek, czułaby to pani z taką pewnością, z jaką ja to czuję w stosunku do Dario, i pani też uchodziłaby za wariatkę. Myślałam, że może ma inne życie i że w tym innym życiu wydarzył się jakiś dramat, pytałam o to różne kobiety, które oburzały się na moje podejrzenia, mówiły, że teraz moja kolej, żeby pocierpieć, i że jestem zazdrosna, i że chcę, aby inni wokół mnie też cierpieli, że swoimi niebezpiecznymi oskarżeniami chcę rozdzielać pary, rozbijać małżeństwa, czy ja jestem niebezpieczna? Czy kapliczka była niebezpieczna?

– W kapliczce był żywy.

– Widzi pani, że mam rację. Nie jest obłąkany. Ani nieobecny. Ani się nie zestarzał. Zawsze to wiedziałam. – Po chwili dorzuciła: – Dziękuję.

A potem odeszła. Zostawiła mnie samą, a ja zeszłam popatrzeć na morze. Chciałam opuścić La Floridę, ten dom pełen nieobecności, ten przedsmak otchłani, która czyha na nas wszystkich z cierpliwością zabarwioną nudą i lenistwem. Myślałam o mojej rodzinie. Mojej Christine, która starzała się szybciej niż my, świadku moich straconych lat, moich pierwszych kroków w świecie kobiet, o nas, młodych uczących się życia kobietkach, niezręcznych i żarliwych nastolatkach, zakompleksionych i wyniosłych, czasem nieśmiałych, a potem nagle wyzwolonych, by przez chwilę pobyć sobą, w przebłyskach, w wyłomach w wychowaniu i strachu. O mojej Christine z jej jedyną piosenką, z jej mitem *variété*, ze szlachetnym i chorym sercem – niedługo umrze, umrze wcześniej niż jej młodsza siostra, niż jej matka i ojciec, ciągle starzy, ciągle gasnący. Pokonywałam piętra ogrodu, ten dom od zawsze obiecany Dario, który bawił się tu jako dziecko, siedząc na trawie lub żwirze, miał małe samochodziki, miniaturowych cyklistów, kule, a potem pewnego dnia Giulietta u jego boku, która zostawiła w Rzymie wielkie mieszczańskie mieszkanie i wchodzi po schodach, po wszystkich schodach ogrodu i wydaje się jej, że znów czuje w brzuchu wszystkie te istnienia, których nigdy nie wyda na świat. Myślałam o mojej mamie, której kobiece lata były konsekwencją obietnicy danej umierającemu ojcu, o jej życiu, które zgasło, zanim jeszcze rozbłysło. Matka nigdy się nie dowie, co straciła, ale zawsze będzie otoczona nimbem smutku jak światłem wieczornym, światłem tej mglistej pory o zmroku, która już nie jest dniem, jeszcze nie nocą, i do której oko z takim trudem się przyzwyczaja. Moja matka o zmroku, ujarzmiona, sprzedana, przeznaczona do poddania się, a jednak… jej zamknięta pięść w pończosze cielistego koloru w Monoprix w Aix-en-Provence w 1973 roku. I sprzedawczyni, która patrzy na nią jak na kogoś, kim się stała: ponurą kobietę, pozbawioną wszystkiego, samotną. Sprzedawczyni nigdy się nie dowie, że gdyby tamtego dnia powiedziała do niej: „w tych pończochach w cielistym kolorze będzie pani bardzo dobrze, są po prostu stworzone dla pani", być może życie mojej matki odmieniłoby się. Troszeczkę.

Wyszłam z La Floridy, szłam wzdłuż drogi schodzącej kolejnymi zakosami aż do morza i myślałam o Dario, który chodzi teraz środkiem drogi, zawsze tej samej, i pokonałby kraty, gdyby były zamknięte na kłódkę, pokonałby ściany, okna, aby wciąż iść tą drogą, i znów zobaczyłam niewielkie wgniecenie na przodzie zielonego boxstera, i nagle zawróciłam, i biegłam w słońcu, biegłam do Giulietty, bo teraz już wiedziałam. Miała rację. Coś się wydarzyło tego wieczoru, zanim Dario wprowadził porsche do garażu, zakrył je plandeką, zszedł do morza, żeby wyrzucić kluczyki, idąc w tym celu tą samą ścieżką co ja dzisiaj.

– Pójdziemy z tobą na tę drogę, którą lubisz chodzić... Chcesz? Tak? Jest ładnie, będziemy w trójkę... zgoda? Idziemy teraz? Zgadzasz się? Dario, idziemy teraz w trójkę na tę drogę... Idziesz? Chodź z nami? Chodź... idziesz?

*

Stałyśmy z Giuliettą naprzeciw Dario, doszukując się jeżeli nie jego przyzwolenia, to przynajmniej znaku, że nie odrzuca naszej propozycji. Chciałyśmy mu towarzyszyć tam, gdzie lubił chodzić sam: na drodze, gdzie kilka razy go znaleziono. Ledwie to uzgodniłyśmy posłuszne niejasnemu przeczuciu, pewnego rodzaju niezrozumiałej konieczności. A teraz ona i ja powtarzałyśmy te same zdania, pozwalałyśmy sobie na tę samą gorączkową czułość wobec tego samego mężczyzny i byłyśmy zgodne: przyczyną jego amnezji był emocjonalny szok. Coś nim zachwiało, coś go prześladowało, coś go opętało, i musiał nam to wskazać. Neurolog powiedział Giuliecie, że ludzie dotknięci amnezją często chodzą prosto przed siebie, że wychodzą i idą gdzieś, jakąś drogą, a mimo to byłyśmy pewne, że eskapady Dario nie są przypadkowe. Nie był człowiekiem przypadku, a spotkanie z nim oznaczało już, że jest się wybrańcem. Ten dzień, ostatni, który spędziłam w La Floridzie, przeżyłyśmy, teraz zdaję sobie z tego sprawę, jak ostatnią szansę. I próbując go przekonać, żeby wyszedł z nami na tę drogę, powtarzając w kółko swoje prośby, byłyśmy jak te kobiety pochylone nad rannym, które nakazują mu, aby nie zasypiał, bo pogrążenie się we śnie oznaczałoby nieuniknioną śmierć. Chciałyśmy przytrzymać go na granicy jego przeżyć, aby ukazała się nam jakaś cząstka prawdy. Wtedy chwyciłybyśmy się tej prawdy jak przyjaznej ręki, jak koła ratunkowego.

Lubię myśleć, że w tamtej chwili, gdy próbowałyśmy go przekonać, żeby z nami poszedł, podobało mu się, że widzi nas razem, Giuliettę i mnie, swoje kobiety: tę z lat młodości i tę z wieku męskiego. I kto wie, czy w głębi duszy, bardziej niż kochanka czy odnalezionego męża, nie pragnęłyśmy oddać dziecka jego matce, które tak bardzo i tak dobrze kochała, a którego wdzięk naznaczył nasze życie? Kto wie, czy to właśnie nie samemu życiu chciałyśmy oddać sprawiedliwość, umieszczając Dario z powrotem w jego wnętrzu, tak jak umieszcza się poezję w sercu każdej rzeczy, aby zniknęła pustka tego świata, będącego tylko tym, co w nim widzimy, oznaczającego tylko to, co z niego weźmiemy, świata bez magii, bez świętości, tak byśmy go zrozumieli. Aż oszalejemy z beznadziei.

Wszyscy troje szliśmy powoli drogą, na której zawsze znajdowano Dario, drogą prowadzącą do wioski Certosa, trochę dalej, za La Floridą. Była zadziwiająco prosta jak na taki stromy teren, wznosiła się i opadała, wyglądała jak drżąca w słońcu wstążka asfaltu.

Było jeszcze wczesne popołudnie i szliśmy w milczeniu, z początku nie czując, jak praży czerwcowe słońce, nie czując pragnienia, ale za naszym pozornym spokojem kryła się obawa. Chciałyśmy coś osiągnąć i nie śmiałyśmy nic mówić z obawy, że zniszczymy cichy zwyczaj Dario chodzenia samotnie tą drogą bez nieświadomości, że naraża swoje życie na niebezpieczeństwo, albo przeciwnie, w oczekiwaniu na wypadek, który najwyraźniej przywoływał swoją demonstracyjną biernością.

Było coś nieznośnego w jego sposobie patrzenia przed siebie, jakby pochłaniał krajobraz. Szedł w stronę horyzontu, nie potykając się, nie ustępując, a my szłyśmy za nim ponad godzinę poboczem drogi. Każdy przejeżdżający samochód budził nasze przerażenie, obserwowałyśmy go najdyskretniej, jak mogłyśmy, ale ani razu nie obrócił głowy, aby popatrzeć na cokolwiek innego niż prosta linia drogi, ani razu nie drgnął na dźwięk silnika, na krzyk ptaka, nic nie mogło go wyrwać ze skupienia, w którym wciąż szedł naprzód. Nie miał już w sobie nic z nastolatka idącego z pełną wahania zręcznością, z dyskretną swobodą, przeciwnie, sprawiał wrażenie posłusznego jakiemuś tajemnemu nakazowi pochodzącemu bezpośrednio z głębi asfaltu, z ziemi, z jej wnętrza, z jej podziemnych wód, miał postawę człowieka zdeterminowanego, i ta sztywność dziwnie kontrastowała z jego niezupełnie działającym umysłem. Szedł krokiem równym i zdecydowanym, nie zniechęcały go ani zmęczenie, ani upał, był obojętny na kobiety, które kroczyły z trudem u jego boku. Czy szedł mechanicznie, czy przeciwnie, napędzało go jakieś głębokie przekonanie, jakiś precyzyjny cel? Czy pokazywał nam swoją determinację, czy oderwanie od świata? Zastanawiałam się, czy zatrzymałby się, gdyby jedna z nas usiadła nagle na poboczu, gdyby jedna z nas wycofała się z gry, i zatrzymałam się gwałtownie. Przeszedł jeszcze trochę, zaledwie kilka kroków, Giulietta szła za nim, rzucając mi podejrzliwe spojrzenia, ale patrząc na jego plecy, wiedziałam, że się zatrzyma. Rozluźnił ramiona na krótką chwilę, jakby w zawieszeniu, a ja widziałam, że jego kark lekko drży, że z wahaniem pochyla szyję, jak zawsze to, co odczuwał, najpierw wyrażało jego ciało, a później słowa. Nie przestawałam go obserwować. Powoli się odwrócił, popatrzył na mnie, a w głębi jego oczu zobaczyłam nutkę wyrzutu pełnego rozbawienia, jak gdyby rozpoznawał tę nieco upartą nastolatkę, którą kiedyś byłam i którą znał – ale z pewnością projektowałam na niego emocje, które chciałam, żeby przeżywał, a on być może wcale ich nie odczuwał. Przez chwilę wydawało mi się, że się śmieje, ale to tylko wargi drżały mu trochę ze zmęczenia, myślę, że był od nas wtedy dużo dalej, niż nam się wydawało.

– Jestem zmęczona – powiedziałam. – Nie rozumiem, dokąd idziemy.

Stał, patrzył na mnie, nie reagując, Giulietta bała się o niego, czułam to, ale pomyślałam o kapliczce i mówiłam dalej, jak gdyby wciąż jeszcze był jednym z nas.

– Daleko jeszcze? Umrzemy od udaru, to pewne, nie mamy nawet kapelusza ani butelki wody. Dario, chyba nie chodziłeś jeszcze tą drogą o tej porze, nie?

W odpowiedzi podszedł i usiadł obok mnie jak cierpliwy człowiek, który czeka, aż minie jakiś kaprys. Byliśmy na skraju pola, na małym, suchym i kamienistym nasypie.

– Trzeba tu przyjechać samochodem – powiedziała nagle Giulietta. – Porsche, jak wtedy.

Powiedziała to tonem wyrzutu i zrozumiałam, że ma mi za złe, że usiadłam, że być może zmarnowałam nasze godne pożałowania przedsięwzięcie. Dario patrzył na swoje ręce, otwierał je, zaciskał, czasem czubki jego palców się stykały, miałam ochotę go popchnąć, żeby upadł, żeby go bolało i żeby wreszcie coś z siebie wyrzucił, jakieś słowo wyrażające ból, jakąś obelgę, cokolwiek, chciałam wreszcie przerwać jego chorobliwą uległość i mętną bierność. Gdyby nie było z nami Giulietty z jej zmartwieniem i strachem, być może wykrzyczałabym Dario, że jeśli dalej będzie milczał, na bank trzeba go będzie zamknąć w psychiatryku, w jakiejś specjalistycznej klinice, gdzieś, gdzie pomieści się jego nieobecność. Wzięłabym go za ramiona i potrząsnęła, wrzeszcząc imię jego matki, jego miasta, jego żony, imiona wszystkich dziewczyn, które go kochały, nazwy wszystkich miejsc, w których mieszkał, krajów, do których wysyłał statki, języków, w których wydawał polecenia, w których wypowiadał słowa miłości i ukojenia, wszystkie jego pocieszające uśmiechy, jego kaprysy, czułości, rzuciłabym mu to wszystko w twarz za jedno słowo, jedno jedyne, dowód na to, że jest z nami teraz –

dokładnie na tej samej drodze co my i w tym samym momencie.

– Trzeba tu przyjechać porsche – powiedziała ponownie Giulietta z pełnym uporu smutkiem. I dodała: – Poczekajcie tu na mnie, idę po samochód.

– Poczekać na panią tutaj? – zapytałam. – Siedzieć godzinę na słońcu, a pani będzie szła tą drogą sama? I może jeszcze pójdzie pani szukać kluczyków w morzu, co? I cofnie się w czasie, no bo niby czemu nie?

Ujawniłyśmy więc właśnie przed Dario nasz strach, naszą niepewność. Wydało mi się wtedy, że jesteśmy dużo bardziej zagubione niż on, że rzucamy się między skrajnymi emocjami i nasz wspólny statek zaczyna nabierać wody. To mnie rozgniewało. Poza tym chciało mi się pić i bolały mnie nogi, a Giulietta być może miała rację: powinniśmy przyjechać tu uszkodzonym porsche, w końcu na pomysł, żeby ściągnąć Dario na tę drogę, ona i ja wpadłyśmy, widząc wgniecenie z przodu samochodu. Giulietta postanowiła mnie ignorować, nie chciała sprzymierzeńca, który się tak szybko zniechęca, ona, która z uporem wiernego żołnierza stawiała czoło chorobie już od ponad roku i mogłaby iść jeszcze godzinami po tej drodze, w słońcu, nie czując nic innego tylko miłość do Dario. On, przerażająco uległy, stał tam nadal, najwidoczniej ani nie mając zdania o tym wszystkim, ani nic nie czując. Giulietta zbliżyła się do niego.

– Dario – szepnęła. – Czy chcesz, żebym poszła po samochód? Chciałbyś pędzić po drogach, wyjechać daleko? To Genua ci ciąży, co? To ja? Dom?

Uważałam, że sytuacja jest żałosna, niemal komiczna, ale Giulietta dalej mówiła do Dario, tym razem po włosku, mówiła łagodnie, jej uspokajające słowa wydawały mi się prawie tak samo niedorzeczne jak milczenie jej męża. Nagle poczułam chęć, aby w tej chwili zapadła i pochłonęła nas noc, żeby samolot Marca wylądował i żeby mój mąż, racjonalny, konkretny i skuteczny, wyrwał mnie z tego bólu, z tej bezradności. „Miłość przenosi góry", uczyła moja mama swoje uważne harcerki. A właśnie że nie, miałam przed sobą oczywisty dowód na to, że miłość roztrzaskuje się o góry. Dario, Giulietta i ja wyglądaliśmy po prostu na troje dorosłych, którym pewnego popołudnia na pustej drodze zabrakło benzyny. Nikt, zupełnie nikt, widząc nas, nie podejrzewałby, że ona i ja próbujemy reanimować martwego człowieka.

Dario, idąc przez całą godzinę drogą ze mną i z Giuliettą, nic nam nie wyjawił. Postanowiłyśmy zawrócić. W pewnym momencie zadałam sobie pytanie, czy Dario nie szukał pustki absolutnej i czy tak idąc środkiem drogi, nie odnajdywał jej, ale Giulietta nie ustępowała: tą drogą wracał codziennie do La Floridy, idąc nią, docierał po prostu coraz dalej, musiała mu przypominać coś znajomego, coś, co być może przydarzyło mu się tamtego wieczoru, gdy jechał porsche. Zasugerowałam, że może Dario wpadł na drzewo i doznał urazu czaszki, ale mówiąc to, wiedziałam, że zachowuję się jak spóźniona naiwna przyjaciółka, bo przecież nikt nie czekał, aż się pojawię, żeby zrobić Dario wszystkie niezbędne badania medyczne, to jasne.

Gdy wracałyśmy, podążając za Dario, który teraz szedł wolniej, z pewnego rodzaju znużeniem i zmęczeniem, Giulietta i ja miałyśmy jeszcze jakieś przypuszczenia, jakieś próżne nadzieje. Czy ta droga prowadziła do jakiegoś innego życia? Czy Dario szedł na czyjeś spotkanie, czy myślał o tym, aby uciec? I właśnie w chwili gdy przestałyśmy się czaić,

Dario się odprężył, jakby poczuł, że już go nie trzymamy, nie obserwujemy ciągle w milczeniu i nie obarczamy naszym niepokojem. Obrócił nawet głowę za przelatującym ptakiem i przelotnie, nie patrząc na nie, pogładził ręką długie cienkie trawy zarastające drogę. Po raz pierwszy wyglądał tak, jakby był na spacerze.

Szliśmy wolniej, a słońce nie świeciło już wprost na nas, jakby też częściowo porzuciło walkę. Wyglądaliśmy na troje rybaków z pustymi rękami, troje sportowców wracających z turnieju, w którym przypadło im ostatnie miejsce. Czy to była grupowa porażka, czy każdy poniósł ją z osobna? Nagle poczułam się tak przesycona straconymi złudzeniami, że nie miałam już chęci o niczym myśleć, tworzyć scenariuszy, wyobrażać sobie wciąż od nowa ostatniego wieczoru Dario jako wolnego człowieka, sprzed przygody z porsche i kluczykami wrzuconymi do morza, i zaczęłam się zastanawiać, czy ostatecznie wolność nie była tym, czym żył obecnie, tym, co zdobył, gdy przestał zdawać komukolwiek sprawozdanie ze swojego życia, gdy zabrakło mu mocy uczynienia kogokolwiek szczęśliwym. I wtedy, gdy weszliśmy do jakiejś wioski, jednej z tych biednych, opuszczonych wsi, przez które przechodzi droga krajowa, bardziej ruchliwa niż jej uliczki i szkoła, wsi, w których romański kościół jest zamknięty, a chleba nie kupuje się w piekarni tylko w najbliższym supermarkecie, więc gdy przecinaliśmy tę półpustynię ludzkości, nie spotykając nikogo poza wieśniakiem z kulawym psem i furgonem pocztowym, który nie zatrzymywał się przed żadnym domem, w jakiejś uliczce pojawiły się dzieci, bez wątpienia Cyganie, przeszły bardzo szybko, mówiąc głośno, jak gdyby się kłóciły. W chwili gdy już miały skręcić w piaszczystą drogę i zniknąć, dziewczyna, która wydawała się najstarsza, ale miała nie więcej niż dziesięć lat, obróciła się do nas, wyciągając rękę, i powiedziała chrapliwym głosem po włosku coś, czego nie rozumiałam. Giulietta z właściwą sobie władczością odcięła się jej jednym głośnym słowem, które zabrzmiało tak, jakby cała wioska należała do niej, a ona odganiała stąd pomniejszego intruza, jakiegoś małego szkodnika. Dziewczynka poczerwieniała i pobiegła za swoją małą grupą, która nie czekała na nią, gorączkowo kłóciła się dalej, ale bez niechęci. To były podekscytowane dzieci, którym z całą pewnością coś się właśnie przydarzyło, jakieś zdarzenie, może zupełnie błahe, ale które głęboko je podzieliło.

Zniknęły, przeleciały szybko jak rój pszczół, jak brzęczenie, które cichnie, co przynosi ulgę, i wtedy Dario się zatrzymał. Nie obeszło go pojawienie się dzieci ani sposób, w jaki Giulietta odgoniła dziewczynkę, ale teraz widziałam, z jakim trudem oddycha, widziałam jego zwężone nozdrza, górną wargę nagle dziwnie wąską, jak gdyby jego twarz zapadała się w siebie, zamykała się wewnątrz. Giulietta rzuciła się do niego, aby pomóc mu usiąść na starym słupku kilometrowym, w tej wiosce nie było ławki ani nawet przystanku autobusowego, niczego, co zachęcałoby do czegokolwiek innego niż jej opuszczenie.

Patrzyłam na nich oboje, na tę parę, która kiedyś była godna podziwu i podziwiano ją, a teraz mężczyzna chwytał powietrze, chwytał życie, siedząc z trudem na betonowym słupku w pełnym czerwcowym słońcu. Giulietta przytknęła swoją apaszkę do nosa Dario, bardzo szybko zobaczyłam, że jest nasiąknięta krwią, jasną krwią. Nie odzywali się do siebie, żadnego słowa, żadnego uspokajającego gestu, po prostu ona trzymała swoją ładną jedwabną chustkę przy nosie mężczyzny, niemalże mdlejącego, i nie obawiając się, że zaplami sobie bluzkę z białego lnu, przycisnęła do niej głowę Dario i trzymała ją mocno, tak jak trzyma się ponad wodą głowę topielca.

Długo pozostawali w takiej pozie gotowi się przewrócić, prawie biali w zbyt żywym świetle, nagle pozbawieni wieku, urody, przepychu, po prostu ona trzymała głowę swojego mężczyzny przy zakrwawionej bluzce, a potem zaczęła szeptać i nie mogła przestać, prawie nie nabierała powietrza: *„Ti voglio tanto bene ti voglio tanto bene ti voglio tanto bene Dario Dario ti amo ti amo Dario Dario"**, brzmiało to jak dziwny śpiew. Smutny i zdecydowany śpiew pożegnalny.

Zatrzymałam jakiś samochód, jeden z tych, które nie przejeżdżały przez wioskę z dużą prędkością, wszyscy troje usiedliśmy z tyłu i wróciliśmy do La Floridy. Musieliśmy wyglądać jak dzieci, które uciekają z domu, potem rodzice je odnajdują i odwożą do gniazda, one wiedzą, że ich marzenia się rozwiały, ale mimo to czują ulgę, że wracają do domu, ulgę, której im wstyd, tak jest szczera. Dario trzymał przy twarzy apaszkę Giulietty, oparł czoło o szybę i zamknął oczy, zostawiając nas same, ją i mnie, jak dwie przyjaciółki, które wiedzą, że są na siebie nawzajem złe, choć o tym nie mówią. Potem Giulietta położyła rękę na udzie Dario, a on nie zareagował. Wydawało się, że jej to nie dziwi.

Jeżeli naprawdę na tej drodze coś się wydarzyło, nigdy się o tym nie dowiemy, bo było za późno, aby pocieszyć Dario w jego nieszczęściu, w jego tajemnicy bez nazwy. Jedyne, co należało zrobić, to być przy nim, dotykając go stale i w ciszy. A Giulietta dała mi właśnie znak, że to może zrobić sama.

---

* *Ti voglio tanto bene...* (wł.) – Tak bardzo cię kocham tak bardzo cię kocham tak bardzo cię kocham Dario Dario kocham cię kocham cię Dario Dario.

Gdy wróciliśmy do La Floridy, każde z nas miało potrzebę pobyć samo, każde z nas zamknęło się bez żadnych wyjaśnień w swoim pokoju, w ciemnym pomieszczeniu poprzecinanym promieniami światła przemykającego przez nieszczelne listwy starych okiennic.

Leżałam na łóżku i prawie słyszałam ciszę, która była pełna, dźwięczna, głosy służby dochodziły do mnie z daleka, to oni – dużo bardziej niż ich państwo – ożywiali ten dom, przestrzegając w kuchni godzin posiłków, pielęgnując ogród, tak jakby w każdej chwili mogło się w nim odbyć jakieś przyjęcie, jakby miał się stać tłem jakiegoś zdarzenia, a nie miejscem pełnym ciężkich zapachów, nawiedzanym przez przedwcześnie postarzałe istoty, którym brakowało już pewnej nonszalancji, by po prostu podziwiać jego poezję. W tym ogrodzie wszyscy się szukali, wołali, gonili, nikt już w nim nie siadał po to, żeby go po prostu posłuchać, spróbować rozpoznać śpiew jakiegoś ptaka, nazwę jakiejś róży albo popatrzeć na kolory nieba zmieniające się w miarę, jak nadchodził wieczór, i uważać się za szczęściarza, który nie ma do robienia niczego poza patrzeniem, jak powoli zapada noc. Prawdę mówiąc, im piękniejszy i prawdziwszy był ogród, tym bardziej rozpaczliwe było nasze poruszenie, oznaka wykluczenia, wszystko zdawało się stawiać nam opór, i zastanawiałam się, jak to się dzieje, że Giulietta jeszcze nie zwariowała, walcząc w ten sposób od roku z pustką w tym domu, gdzie nawet jej pełna niepokoju obecność wydawała się nie na miejscu.

Drzemałam trochę, choć nic mi nie dawało to otępienie improwizowanych sjest przynoszące nie sen, tylko jakiś stan pomiędzy snem a jawą, jakąś przemianę myśli i uczuć, najpierw niejasnych, a potem nagle ostrych, wyraźnych i jawnych. Przeciwnie, im bardziej próbowałam się oddalić od wydarzeń minionych godzin, tym bardziej czułam ich ciężar i obecność. Pot przyklejał mi ubranie do skóry, na nogach miałam jeszcze kurz drogi, czułam, że słońce spaliło mi kark, a przed oczyma przesuwały się obrazki z tego niepotrzebnego marszu, moje nagłe wykluczenie, bezsilność i zbędność w tym miejscu. Wiedziałam, że nade mną, w swoim starym pokoju, Dario też leży na łóżku, słyszałam, jak Giulietta go tam prowadziła, potem kilka razy wchodziła tam i wychodziła stamtąd pokojówka, na pewno zmieniono mu koszulę, umyto twarz, tuż nad wargą miał małe grudki zaschniętej krwi. Giulietta pomogła mu wejść przez piętra ogrodu, mogło się wydawać, że to trochę pijany mężczyzna, który się z kimś pobił, podtrzymywany przez współczującą żonę przyzwyczajoną do jego wybryków i zawsze wybaczającą z cichą dumą tej, która wie, że tylko ona wszystko zniesie. Ich zażyłość była mi zupełnie obca. Została-łam wezwana do chorego Dario, byłam gościem, a Giulietta jego towarzyszką. Żoną. Tą, która zna go lepiej niż ktokol-wiek inny, która wcześniej jednym spojrzeniem mówiła mu „wiem". A on odpowiadał jej zaledwie uśmiechem – „wiem, że ty wiesz". Oboje się przenikali z sekretną zazdrością o to, że są pamięcią człowieka, którego kochają, że mogą przewidzieć jego reakcje, a czasem im zapobiec. Nie mogłam nadrobić trzydziestu lat oddalenia. Nie widziałam, jak Dario staje się mężczyzną, zaczyna żyć pełnią życia, podejmuje zobowiązania i decyzje, które wszyscy podziwiają, nie widziałam jego naturalnej władczości, z pewnością niewiarygodnie seksownego sposobu noszenia garnituru ani tego, jak wydaje polecenia, nie widziałam białego szala, który zakładał w wieczory, gdy wychodzili do opery, ani swetra prosto na ciało, starych dżinsów i bosych stóp na marmurowych płytach, żwirze w ogrodzie ani wciąż młodzieńczego pochylenia głowy, gdy zapalał papierosa. Być może czasem przywoływał Giuliettę władczym gestem, ręką, zamykającą się na jej ramieniu w chwili, gdy zaczynała się oddalać, przyciągał ją do siebie i całował z siłą pewnego swojej władzy mężczyzny, świadomy, jak bardzo będzie się podobała jego brutalność tej kobiecie, która staje się dla niego tym, kim on chce, żeby była, kotką albo suką, jest poddana albo zaskakująca, nieobliczalna albo niewiarygodnie łagodna, prosta i czuła… Czy ściągnęła mnie tu po to, żebym to też odgadła? Czy potrzebowała sprowadzić pod swój dach dziewczynę, która kochała i znała Dario wystarczająco, aby zrozumieć, że tylko wyjątkowa kobieta mogła być przy jego boku przez dwadzieścia lat? Może powinnam po prostu jej pogratulować i wyjechać. Nie ulegać tej inscenizacji, próżnemu czekaniu na zmartwychwstanie. Być może gdyby mieli dzieci, Giulietta i Dario nie potrzebowaliby mnie, abym uczestniczyła w tym nieszczęściu, w tej wszechwładnej amnezji. Zastanawiałam się, co bym zrobiła, gdyby coś takiego przydarzyło się Markowi, czy miałabym siłę, aby zostać z nim w zamknięciu, czekając, aż wróci życie, nasze wspomnienia i nasza historia… Zostać i mieć nadzieję, że to wszystko nie zostało przeżyte na próżno, że nasz związek nie może tak łatwo zniknąć – pewnego dnia on po prostu wprowadza samochód do garażu i to wszystko. Skończone. Nie umarł. Nie jest ranny. Ale mimo wszystko to koniec.

I wtedy, gdy tak myślałam, próbując rozeznać się w tym wszystkim, co przeżyłam tu od przyjazdu, usiłując analizować, ale jednak bez zrozumienia, usłyszałam nagle pospieszne kroki, trzask drzwi, głos Giulietty, która mówiła po włosku coś, czego nie rozumiałam, do człowieka, którego nazywała *dottore*, i jego też słyszałam, jego głos jak na lekarza dziwnie delikatny, i oboje oczywiście weszli do pokoju Dario. Wstałam i poszłam na górę.

Drzwi zostały uchylone, więc stałam na progu jak małe dziecko podczas przyjęcia, jak trochę zazdrosny podglądacz. Zgadzałam się na wykluczenie. Z miejsca, gdzie się znajdowałam, z tej pozycji pokojówki, widziałam *dottore* i Giuliettę, ale Dario nie był w łóżku, odgadłam, że stoi przy oknie. I słyszałam go. Słowa, które – jak podejrzewałam – nawet po włosku były kompletnie niezrozumiałe, jakby rzucane w nieładzie, i twarde, beznadziejnie przykre. To był wznoszący się i drżący potok słów, im groźniejszy wydawał się Dario, tym bardziej głos mu umykał, był stary, prawie zły, złamany. Nie słyszałam tego głosu od trzydziestu lat! A wracał do mnie odmieniony, mętny jak słona woda, to był skażony głos, który wyrażał raczej walkę, zmęczenie i strach niż bunt. Giulietta stała nieruchomo, wyprostowana, jak sparaliżowana, bez żadnego gestu, słowa, jakby nagle skamieniała pod wpływem sytuacji, i wtedy zrozumiałam, co w niej było wyjątkowego. Dario nigdy, od czasu gdy stracił pamięć, nie był w takim stanie. Być może Giulietta nigdy nie słyszała, żeby tak wykrzykiwał. Przekroczył pewne stadium choroby, pewien etap, który zapowiadał następne, tak jak wtedy gdy zaczynamy schodzić z góry i popychający nas naprzód zryw zastępuje wszelką wolę, na dobre zostajemy na łasce pędu.

Nagle doktor odezwał się głośniej niż Dario, myślałam, że chorzy potrzebują łagodności, ale słowa: *„Silenzio adesso, signore Contadino! Silenzio!"*[*], zostały wypowiedziane z właściwą pewnością siebie – Dario zamilkł. Doktor przysunął fotel, w którym posadził Dario, mogłam teraz widzieć jego profil, cienki kosmyk na jego opuszczonej twarzy, przygarbione ramiona. Oddychał głośno, ciężko, a potem nagle uniósł się trochę i powoli odwrócił twarz w moją stronę, podniósł ramię, przeciągnął ręką po czole i jego wzrok spoczął na mnie, taki sam jak trzydzieści lat temu w ciemnym salonie, gdzie z każdą tańczył wolny taniec, i była w nim ta sama tajemnica. Czy to spojrzenie i ten gest były odruchowe, czy miały jakieś znaczenie? Były przeznaczone dla mnie? Czy Dario odpoczywał pomiędzy dwiema walkami, czy zapadł się już w nieobecność? A potem opuścił ramię, odwrócił wzrok, na nowo pochylił głowę. Wszystko skończone.

Doktor położył na łóżku swoją walizkę, otworzył ją, a Giulietta od razu wyszła. Nie była zaskoczona moją obecnością ani tym, że nie ośmieliłam się wejść do pokoju, wzięła mnie za nadgarstek i pociągnęła na dół do biblioteki, gdzie nalała dla nas obu po kieliszku koniaku, który zresztą chętnie wypiłam.

Widziałam Dario po raz ostatni. Jego pierwszy gest był dla mnie ostatnim, spotkałam go i opuszczałam w ten sam sposób, nie wiedząc, czy chciał mi coś powiedzieć, mnie i tylko mnie. Zostawiał mi, poza tajemnicą swojej amnezji, tajemnicę całego swojego istnienia, myślę, że nigdy naprawdę nie zszedł pomiędzy ludzi.

---

* *Silenzio adesso...* (wł.) – Teraz proszę o ciszę, panie Contadino! Cisza!

*

– Doktor ma do mnie pretensje, ogromne pretensje, Emilie. Obie byłyśmy szalone, sprowokowałyśmy straszny szok, chodząc z Dario po tej drodze, nie powinnyśmy były, to był błąd, pierwszy błąd, jaki zrobiłam tak naprawdę, pierwszy raz, gdy nie kocham go wystarczająco, gdy chcę, żeby był inny, gdy go zmuszam... Zmusiłam go, zmusiłam go... *Stronza! Ma ché stronza!**

Pozwoliłam Giulietcie mieć sobie za złe, a potem płakać i obrzucić mnie wyrzutami, trzy córki nauczyły mnie przynajmniej tego, żeby nigdy nie brać osobiście rozpaczy kobiety ani urazy i złej wiary, które jej towarzyszą. Kiedy skończyła wyczerpana zmartwieniem i poczuciem winy, powiedziałam jej to, co chciała usłyszeć, czyli że wyjadę tego samego wieczoru, pojadę po Marca na lotnisko, przenocujemy w Genui, a rano wyruszymy do Paryża.

Przyszedł lekarz uprzedzić ją, że wychodzi, jego głos znów był delikatny, wygląd zrezygnowany, Giulietta obojętnie przystawała na wszystko, co mówił, nie miała już złudzeń i dokładnie wiedziała, co nastąpi, co będzie musiała codziennie przeżywać. Jedyną niewiadomą było: przez ile jeszcze lat? Doktor powiedział: „*A domani. Lasciatelo dormire. A domani. A domani*"**. I przez wszystkie te dni będzie słyszała, jak doktorek mówi to swoim wątłym głosikiem, z tą swoją fatalistyczną postawą, z rezygnacją człowieka nauki, który wie o wszystkim, czego nie wie, i bez sprzeciwu się tym zamartwia.

Potem Giulietta zamilkła, wyczerpana chaosem tego popołudnia i tyloma sprzecznymi uczuciami, i gdy tak siedziałyśmy

---

* *Stronza!...* (wł.) – Kretynka! Co za kretynka!
** *A domani...* (wł.) – Do jutra. Proszę dać mu się wyspać. Do jutra. Do jutra.

obok siebie w milczeniu i otępieniu bliskim spokoju z pełną zdziwienia pewnością, że koszmar się skończył, koszmar zbędnej nagonki i próżnej nadziei, zadzwonił telefon. Dzwonił długo, bardzo długo, zanim wreszcie Giulietta zdecydowała się odebrać, bo powiedziałam jej, że może Marc chce mnie o czymś powiadomić.

To był Daniele Filippo, inżynier z portu, ten, którego Giulietta tak długo nękała i który wydał mi się odpychający oraz tak niechętny do współpracy. Rozmowa trwała kilka sekund, tyle by Filippo mógł uprzedzić, że przyjeżdża.

Odłożywszy słuchawkę, Giulietta popatrzyła na mnie osłupiała, jak gdybym to ja miała coś powiedzieć.

– Czego chce? – zapytałam.

– Powiedzieć nam.

– Co...?

Wargi zaczęły jej drżeć, ale zdołała wymówić to słowo:

– Prawdę.

Daniele Filippo był przyjacielem doktora, od wielu lat grali w golfa. Inżynier zdecydował się spotkać z Giuliettą po tym, jak doktor zadzwonił do niego, wyszedłszy z La Floridy. Doktor z pewnością wiedział coś, o czym nie miałyśmy pojęcia.

Zanim Daniele zaczął z nami rozmawiać, chciał zobaczyć się z Dario.

– Śpi – powiedziała mu Giulietta z ociąganiem.

– Wiem, że śpi – odpowiedział Filippo po francusku ze względu na mnie. – Ale mimo to chcę mu coś powiedzieć. Nie obudzę go, obiecuję pani.

– Powie mu pan, że go pan zdradza? – zapytała Giulietta.

– Właśnie. Chcę, żeby wiedział. I żeby mi wybaczył.

– On nic nie słyszy, nic nie rozumie!

– Pani Giuletto, nie lubi mnie pani za bardzo, wiem o tym. Nawet to rozumiem. Ale pani tak samo jak ja wie, że Dario słyszy i rozumie wszystko. Proszę mnie zaprowadzić do jego pokoju.

– Więc to jest coś w rodzaju szantażu?

– Nie. To coś w rodzaju grzeczności.

W tym momencie wzięłam Giuliettę za ramię, uniemożliwiając jej rzucenie się na niego, i powiedziałam jej, że już czas, aby wreszcie się dowiedzieć. I nie miało znaczenia, że inżynier znał prawdę, która została przed nią ukryta. Więc rzuciła nagle wulgarnym tonem, głosem kobiety z ludu gotowej na wszystko:

– Chodźmy! I nie rozczulajmy się!

*

Oczywiście ani ona, ani ja nie weszłyśmy do pokoju. Pozwoliłyśmy Filippo ulżyć jego sumieniu, i o ile Giulietta go nienawidziła, o tyle ja nie byłam daleka od tego, aby go podziwiać. Oczywiście nie zaryzykowałam i nie podzieliłam się z nim swoimi odczuciami.

Czekałyśmy więc na progu ze świadomością, że niedługo, gdy tajemnica zostanie ujawniona, coś się zmieni i nie będziemy już nigdy takie same, życie przyprze nas do muru i pozostawi nas bez wyjścia.

*

Koniec domysłów, wkrótce usłyszymy o faktach i wtedy trzeba będzie po prostu zaakceptować to, co się stało. Równie nieznośne, co realne.

Filippo wyszedł z pokoju, nie patrząc na nas, i nie czekając na nas, zszedł do saloniku. Miał czerwone oczy i wyglądał na strasznie zmęczonego. Miał zdradzić przyjaciela.

*

A teraz siedzieliśmy naprzeciw siebie w pomieszczeniu, gdzie Dario i Luigi słuchali radia, do którego tyle razy wchodził, rozmawiając z Giuliettą, śmiejąc się, opowiadając jej o wszystkim, co mu się przydarzyło, o swojej pracy, planach na wakacje, no i na pewno obchodzili tu rocznice, tak samo jak u mnie zapalali świece i dawali sobie prezenty, i na pewno kochali się na tych kanapach, na tych fotelach, chowając się przed służbą, wyłączywszy telefon, i czuli wspaniałe zdziwienie, że miłość nigdy nie jest taka sama. To wszystko było przeszłością. Nie zostało zupełnie nic.

Daniele Filippo mówił długo, z trudem, ale nie przerywając i w ogóle na nas nie patrząc.

– Dario, wiecie o tym, miał w sobie coś w rodzaju... nonszalancji, trochę zwodniczej... Wydawało się, że jest trochę roztargnionym przechodniem, ale nic mu nie umykało. Był obserwatorem, który lubi ludzi, wszystkich ludzi, wydawał się zawsze taki... zdziwiony ich sposobem bycia i życiem, jakie prowadzili. Nigdy nie był ironiczny ani szyderczy, po prostu patrzył na ludzi, poświęcał im czas... Ale to wiecie... Oczywiście, to dla was nic nowego... W porcie jest mnóstwo ludzi, tylu różnych ludzi, z wszystkich stron świata, no i oczywiście, jak to na statkach, nie wszyscy są tu legalnie... wielu się ukrywa, boi się... Jak to powiedzieć? Często wieczorem po skończonej pracy Dario lubił przejść się po porcie, palił papierosa, rozmawiał z mechanikiem, z rybakami. Oni byli dumni, że dyskutują z *ingeniere*, prawda, jest taki rodzaj szacunku, taka głupia hierarchia... Dario znał życiorys każdego, ale też wszystko zapamiętywał. Jak w to uwierzyć? Wydawałoby się, że w jego przypadku to niemożliwe... Ale nie, wcale nie, wszystko pamiętał, więc ci faceci go uwielbiali. Dario pytał, czy operacja żony się udała, o urodziny nonny[*],

---

[*] *Nonna* (wł.) – babcia.

egzamin syna, chciał też wiedzieć, jak działał taki czy inny silnik, rozmawiał z tymi chłopakami w porcie o samochodach, a oni nigdy nie byli zazdrośni o jego pieniądze, nigdy. Myślę, że dla nich… no mówię to wam, bo teraz, po tym, co się stało, ludzie mówią o nim, rozmawiają ze mną, widziałem, jak te chłopaki płaczą, mówiąc o Dario, i jak im go brakuje, to jest jak… Jak to powiedzieć? Nie widzieć, jak Dario wieczorem spaceruje po porcie, jak zatrzymuje się przy kimś, gdy wszyscy tak bardzo się spieszymy, żeby wrócić do domu, wiem, *signora* Contadino, wszyscy wiemy, jak bardzo panią kochał, och, o tym też mógłbym opowiadać, ale nie tego pani oczekuje, wiem. O czym to mówiłem? Tak, więc w porcie, prawda, jest wielu nielegalnych imigrantów, na pewno więcej niż gdzie indziej, żyją w pobliżu portu, prowadzą jakiś nielegalny handel. Dzieci… dzieci… radzą sobie. Uczą się włoskiego szybciej niż ich rodzice, poznają miasto w zaledwie kilka dni. Ciężko to powiedzieć… Była taka dziewczynka… Malika… była Tunezyjką… Malika… To trudne… przepraszam… Ale Dario i ona… rozumieli się bez słów, codziennie wieczorem czekała na niego, była… Malika ze swoimi małymi oczyma wiewiórki, wesoła, tak bardzo wesoła, znali się oboje dobrze, choć z sobą nie rozmawiali, ale co wieczór ona czekała na niego, zawsze z czymś innym w swoim koszyku, najczęściej były to opuncje, czasem cytryny, które na pewno kradła w jakimś ogrodzie, no a Dario co wieczór coś jej kupował… A potem kładł jej rękę na głowie, o tak, śmiejąc się, i odjeżdżał. Myślę, że dawał jej dużo pieniędzy… Ale bardzo szybko to nie pieniądze stały się między nimi najważniejsze, tylko ta… jak to powiedzieć? Ta gra…? Raczej te spotkania, tak, te spotkania! Właśnie. Stały się ważne. Bardzo się lubili, myślę, że ta mała znajdowała u Dario coś, czego jej z pewnością brakowało u niej samej, jakiś sposób bycia, łagodność, uśmiech… Poza tym pieniądze też jednak musiały być ważne.

Pewnego dnia Dario przyjechał swoim zielonym boxsterem, był szczęśliwy jak dzieciak, jak zawsze gdy miał nowy samochód, no i wyobrażają sobie panie to zbiegowisko, kiedy tak pojawiał się za kierownicą nowego sportowego samochodu, wszyscy rzucali się do niego, a on... miał dwadzieścia lat. Stawał się osobliwie... naiwny, tak. Śmiał się, zachowywał się beztrosko jak dziecko. Zawsze myślałem, że być może gdyby nie podziw chłopaków z portu, piękne samochody dużo mniej interesowałyby Dario. Prowadził sam, ale miał potrzebę, żeby mu gratulować i żeby... Przepraszam, zgubiłem się. Wróćmy do zielonego boxstera. Po pracy, po porcie, po małej, zawsze trochę jeździł, zanim wrócił do domu... I głównie po tej drodze, gdzie go pani często znajdowała, wiem o tym. Wiem. Wiem o tym wszystkim. Tego wieczoru dziewczynki nie było w porcie, ale Dario ledwo to zauważył, bo tak bardzo mu się spieszyło, żeby pojeździć swoim nowym wozem, miał go dopiero od tygodnia, około tygodnia... nie wiem... Prawda jest taka, że Malika chciała mu zrobić niespodziankę. To dobre słowo. Chciała go zaskoczyć. Ale miała dziesięć lat. To było dziecko ulicy, nieświadome jak mały dziki kot... Jechał w kierunku zachodzącego słońca, więc oczywiście... Kiedy się pojawiła na środku drogi, podnosząc swój koszyk wysoko nad głowę, żeby ją zobaczył... Było za późno. Jechał bardzo szybko. W kierunku słońca. Mała stała na szczycie wzniesienia. W jej koszyku były figi, ale też kwiaty, nie ukradła ich, zbierała je przez całe popołudnie w polu, a potem splotła... No właśnie... to był początek... Tego wieczoru, kiedy ułożył Malikę obok siebie w samochodzie. Nie była ranna, ale była nieprzytomna. Wrócił do miasta, od jakiegoś czasu wiedział, gdzie mieszka, pojechał do jej rodziny... Dlaczego... Dlaczego nie pojechał od razu do szpitala... Mówił mi, że to z powodu tych durnych papierów, których jej rodzice nie mieli, bał się o nich, a przede wszystkim... Przede wszystkim to była wielka panika, tamtego wieczoru, straszny szok, straszny dla Dario... Oczywiście rodzina nie zgodziła się, żeby zabrać Malikę do szpitala, mieli jakiegoś wujka znachora, praktycznie wypędzili Dario, matka wrzeszczała, pozwolił jej się bić, tak, to mi powiedział, pozwolił się obrażać, nienawidzić, a potem dał im pieniądze, wszystkie pieniądze, jakie przy sobie miał, i jeszcze swój telefon, żeby do niego zadzwonili, jeżeli zmienią zdanie co do szpitala, zaproponował im, że sprowadzi lekarza, ale tego też nie chcieli. To wtedy właśnie Dario wprowadził porsche do garażu, a kluczyki rzucił do morza. A potem zaczął się modlić. Zamiast spać. Modlił się bez przerwy, błagał o życie Matkę Boską, wszechświat, powtarzał: „nie chcę, żeby umarła, spraw, żeby Malika nie umarła, święta Mario, Matko Boża, łaski pełna, spraw, żeby przeżyła, błagam Cię, uczyń ten cud, uczyń ten cud...". I mimo nienawiści jej rodziny, mimo obelg i strasznego spojrzenia, jakim patrzyła na niego matka Maliki, ciągle wracał do łóżka małej, ciągle proponował szpital, pieniądze i nawet fałszywe dokumenty. Szalał, bo dobrze wiedział, że jeśli Malika nie odzyska świadomości, umrze. Myśl, że tej śmierci można było uniknąć, że można było uratować dziecko, doprowadzała go do szaleństwa, szanował wolę rodziny, ale robiąc to, tak naprawdę zabijał ich córkę. To trwało trzy dni. Trzy noce. Modlił się i błagał, nie zmrużywszy oka ani na chwilę. A następnego ranka rodziny nie było. Pochowali małą Malikę obok bunkrów, na wzgórzu przy wyjeździe z Genui, a potem wyjechali, opuścili miasto bez niej, bez swojego dziecka. Powstrzymałem Dario przed tym, żeby jechać ich szukać, a prawdę mówiąc, powstrzymałem go też przed wykopaniem zwłok dziewczynki, której chciał sprawić bardziej godny grób tam na górze, na małym cmentarzu za porzuconą kapliczką. Powstrzymałem go przed zrobieniem tylu rzeczy... Przed pójściem na policję, wyjazdem,

wypłynięciem na zawsze w morze i też... muszę to wam
wyznać... przed skończeniem z sobą. Traktowałem go jak
dziecko, które się dusi i któremu za wszelką cenę próbuje się
pomóc, mówiłem do niego bez przerwy jak do człowieka
w śpiączce, którego nie chce się zostawić w spokoju. Zrobiłem
wszystko, co sądziłem, że jest w mojej mocy, i oczywiście,
oczywiście błagałem go, żeby porozmawiał z panią, *signora*
Contadino... Ale co do tego... Myślę, że Dario wybrał, tak,
właśnie to chcę powiedzieć, wybrał tę chorobę, aby mieć
pewność, że nigdy nie powie pani prawdy. Nie powie pani, że
zabił małą dziewczynkę. To dlatego, rozumie pani, to wszystko, co pani dzisiaj wyznaję... jest tak wielką zdradą...

*

    Wszyscy troje trwaliśmy w ciszy tego kończącego się po-
popołudnia. Każde z nas w samotności, której z nikim nie da
się podzielić. Nie płacząc. Nie buntując się. Było nam tylko
zimno. Właśnie wkroczyliśmy do świata ludzi odrętwiałych.
Byliśmy inni, na zawsze. Przestaliśmy się dziwić, być sponta-
niczni, staliśmy się starcami bez mądrości.

Wieczorem widziałam, jak samolot Marca ląduje na lotnisku w Genui. Czekałam na niego przepełniona nienazwanym smutkiem, czekałam na niego, aby go poprosić, żebyśmy wyjechali tego samego wieczoru, aby siadł za kierownicą i żebyśmy jechali całą noc, aż do jej kresu, aby rano być już daleko, we Francji. Chciałam uciec od nieszczęścia, a jednak gdyby Giulietta zaproponowała mi, bym z nią została, zrobiłabym to, czekałabym razem z nią, aż życie Dario powoli się wyczerpie, a wraz z nim jego nieszczęście i wyjawiona tajemnica, aż ten *ragazzo*, tak bardzo kochany, zgaśnie otoczony dzień i noc miłością, do której miał prawo. On, *Invitato*, gość w życiu za małym na to, by pomieścić całą jego poezję, który aż do tego wieczoru, kiedy nastąpił wypadek, próbował być zwykłym, współczującym obserwatorem, jakby przez swą ostrożność od zawsze intuicyjnie odwlekał tę chwilę, tę godzinę, tę sekundę, kiedy zabije dziewczynkę, niespodziewanie wkraczając w ten sposób do beznadziejnie brutalnego świata ludzi. W ten sposób ten nastolatek, który szeptał mi swoje imię, „DA-rio... Mario? Nie: Dario... Dario Contadino...", dobrowolnie stał się mężczyzną bez tożsamości i bez pamięci. Nie wiem, w jakiej otchłani postanowił żyć aż do śmierci, jak daleko zaszedł w tej strasznej karze błądzenia między dwoma światami, w tej niemocie, która chroniła go przed wyznaniem i doprowadziła aż do zapomnienia o samym sobie. Symulując amnezję, Dario Contadino hodował w sobie wyrzut sumienia z powodu swojej zbrodni, aż w końcu uporał się on z jego świadomością. Odszedł dwa lata po tym czerwcowym popołudniu, a ja często mylę jego dwie twarze, tę, którą zapamiętałam tamtego dnia, i twarz siedemnastolatka. Obraca się powoli do mnie, patrzy na mnie, podnosi rękę do czoła, ale ja nigdy, przenigdy nie mogę uśmierzyć jego niepokoju, ulżyć mu w zmęczeniu, ostatecznie nigdy nie mogłam nic dla niego zrobić.

Zmarł pewnego ranka, bardzo wcześnie, zawoławszy Giuliettę, która czuwała przy nim już od wielu nocy, od początku jego agonii. Zawołał ją po raz pierwszy od trzech lat, wymówił jej imię, powiedział: „Giulietto, przytul mnie mocno...". Przycisnęła go mocno do siebie i wtedy wydał ostatnie tchnienie, prosto w jej szyję, w jej włosy. Potem położyła delikatnie jego głowę na poduszce i zamknęła mu oczy, mówiąc mu marne słowa miłości, i dom stał się spokojny, zadziwiająco spokojny, wyznała, gdy spotkałam się z nią na małym cmentarzu za porzuconą kaplicą, gdzie pochowała Dario. Obok niego spoczywa Malika Ben Salem. Przy pomocy Daniele Filippo i wysoko postawionych przyjaciół z Genui udało jej się doprowadzić do tego, żeby przenieść małą na ten cmentarz. Nigdy nie odważyła się powiedzieć o tym Dario, często wahała się, czy go tam zabrać, ale zawsze w ostatniej chwili przypominała sobie nasze popołudnie na drodze, szok, do którego go doprowadziłyśmy, wierząc, że przywrócimy go żywym. Co tydzień zanosiła kwiat, opuncję, cytrynę na grób małej. I wiedziała, że dziecko potajemnie przywołuje Dario do siebie, i że on niedługo do niej dołączy, że nie

zostawi jej samej w świecie umarłych, pójdzie do niej, spotka
się z nią, wybierze śmierć, tak jak wybrał amnezję, nieodwo-
łalne zobowiązanie.

Mimoune umarła dwa miesiące po swoim synu. Gdy widzę na nagrobku imiona i nazwiska całej trójki, proszę nie-
biosa, aby zrozumiały te istoty, które zbyt długo żyły w bez-
trosce i nie wiedziały, że świat składa się z tysięcy nieobecnych
istnień, nie wiedziały, że bycie dobrym nic nie zmieni. Bo
życie jest brakiem nie do wypełnienia, a my na zawsze pozo-
stajemy niepocieszeni.

Ambillou, 2 maja 2009